公認会計士試験

早まくり 肢別問題集

短答式試験
対策シリーズ

企業法

はしがき

短答式試験に合格する秘伝がある。秘伝というと難しそうだが，実は簡単なことである。それは，落としてはならない問題を落とさないことである。公認会計士短答式試験は，現在20問出題されている。20問中本当に難しい問題は２～３問程度である。本当に難しい問題は，どんなに勉強していても確実に正解することは難しい。短答式試験は，論文式試験受験者を絞るための試験であり，通りさえすればよい。解けないような問題を解くために，勉強時間を費やすのは，合格する観点から言えばまったくの無駄である。

短答式試験に合格する秘伝は，①普通に勉強していれば解ける問題を確実に解くこと，②何回も本試験に出ている基本的な問題を確実に解くこと，③２～３問の難しい問題は落としてもよいと割り切ること，に尽きる。これを守れば，確実に企業法は合格ラインに入る。

本書の第11版では，令和５年金融商品取引法の改正（四半期報告書制度の廃止，上場会社に対する半期報告書の義務付け，半期報告書・臨時報告書などの公衆縦覧期間の延長）を反映させるとともに，前版以降の本試験問題（令和５年第Ⅰ回～令和６年第Ⅱ回）を検討して問題を入れ替えた。

解説の末尾の過去問の出題年度番号をみれば，繰り返し出されている落としてはならない問題が分かるはずである。

本書の問題を頭に刷り込み，余裕で試験を突破してほしい。

令和６年８月　TAC公認会計士講座　田﨑晴久

本書の特徴と利用方法

1　一問一答式です

左のページの問題文（＝肢）が，**「正しいか誤りか」**を判断することのみに**集中**し，リズムよく学習を進めることができます。

2　×の肢について

「どこがダメなのか」「どうなれば○なのか」を，解説の冒頭に明示してあります。

たとえば，**「できない」⇒「できる」**とある場合，問題文中の**「できない」という語句がダメ**で，これを**「できる」に置きかえると正しい肢**になる，という具合です。

ただし，厳密には置きかえると日本語として成立しないものもあります。そのような場合には，実質的な意味合いとして置きかえるものとご理解ください。

正しい内容を理解しつつ，はっきりとした**根拠をもって「肢を切る」，**この訓練をくりかえすことにより，肢の文中の**怪しいところ**を**嗅ぎわける鼻**を養ってください。

3 ○の肢について

そのまま**憶えて**おけばよいので，原則として解説は付さず，参照条文の摘示にとどめました。

解説欄を**シンプル**にすることで，一問一答式ならではの**リズムをキープする**ことができるのです。

もし万が一，「わからない」「知らない」という肢があった場合には，まずは条文にあたり，それでもダメなら，ご自分のテキスト・参考書に戻って，該当論点を再チェックしてください。

4 各肢の出典について

本試験過去問題や類似問題については，解説の末尾に**「<年度－番号>」**を表記してあります。本試験過去問題そのものにあたりたいときに，ぜひご利用ください。

5 条文の表記について

条文の表記に中黒（・）が用いられている場合は，準用を意味します。たとえば，428条・136条3項・109条というのは，428条で136条3項および109条を準用しているという意味です。また，条文の表記にカンマ（，）を用いている場合には，複数の根拠条文を示しています（ex. 221条，241条1項ただし書）。

CoNTeNTs

▶ 問題数一覧 ◀

	論　点	問題数
1	**会社法総論**	7
2	**設　立**	
2−1	設立の手続	
1	定款の作成等	18
2	社員の確定（出資の引受け・履行）	15
3	機関の具備・設立手続の調査	18
2−2	設立の瑕疵	9
2−3	設立に関する責任	15
3	**株　式**	
3−1	株主の権利・義務	6
3−2	株式の内容と種類	17
3−3	株　券	6
3−4	株式の流通	15
3−5	株主の会社に対する権利行使	18
3−6	振替株式	8
3−7	自己株式・親会社株式の取得規制	16
3−8	特別支配株主の株式等売渡請求	6
3−9	株式の分割・無償割当て・併合	15
3−10	単元株制度	12
4	**機　関**	
4−1	機関の設計	16
4−2	株主総会	
1	株主総会の権限・招集	21
2	電子提供制度	4
3	議決権	10
4	利益供与の禁止	6
5	株主総会の議事・決議	22
4−3	種類株主総会	4
4−4	取締役・取締役会・代表取締役	
1	取締役・取締役会	40
2	代表取締役	10
3	取締役と会社との関係	29
4	取締役と株主・第三者との関係	11
4−5	会計参与	9
4−6	監査役・監査役会・会計監査人	
1	監査役の選任・解任	19
2	監査役の権限	14
3	監査役会	17
4	会計監査人	17
4−7	監査等委員会設置会社	33
4−8	指名委員会等設置会社	30
5	**資金調達**	
5−1	募集株式の発行等	37

	論　点	問題数
5−2	新株予約権	21
5−3	社　債	38
6	**計　算**	
6−1	会計帳簿	6
6−2	計算書類等	17
6−3	資本金と準備金	13
6−4	剰余金の配当等	18
7	**組織再編**	
7−1	事業譲渡等	11
7−2	組織変更	6
7−3	合併，会社分割，株式交換・株式移転	
1	合　併	8
2	会社分割	9
3	株式交換・株式移転	7
4	合併等の手続	33
7−4	株式交付	
1	株式交付	4
2	株式交付の手続	5
8	**解散・清算**	6
9	**外国会社**	3
10	**持分会社**	
10−1	設　立	8
10−2	運　営	8
10−3	社　員	11
10−4	社員の加入・退社	6
10−5	合同会社の特則	5
10−6	定款変更	5
10−7	その他	3
11	**商法総則・会社法総則**	
11−1	商　人	10
11−2	商業登記	5
11−3	商　号	12
11−4	営業（事業）の譲渡	8
11−5	商業帳簿	5
11−6	商業使用人	17
11−7	代理商	7
12	**商行為**	
12−1	商行為の意義と種類	6
12−2	商行為の通則	15
12−3	商事売買	7
12−4	交互計算	4
12−5	匿名組合	9
12−6	仲立人	7
12−7	問屋営業	8
12−8	運送営業・運送取扱営業	10
12−9	場屋営業・倉庫営業	8

	論　点	問題数
13	**金融商品取引法**	
13−1	有価証券	8
13−2	発行開示	45
13−3	継続開示	30
13−4	公開買付けに関する開示	26
13−5	大量保有状況の開示	11
	合　計	**1059**

会社法総論

§ 1

Q01 すべての会社は，法人であって，社員とは別個独立の権利義務の主体である。

Q02 会社は法人であり，その名において権利を有し義務を負うので，社員が会社の債務について会社債権者に対して直接に責任を負うことはない。

Q03 判例によれば，会社は定款に定められた目的の範囲内において権利能力を有するが，定款に記載された目的自体に包含されない行為であっても目的遂行に必要な行為は，目的の範囲に属する。

Q04 判例によれば，会社の行為が，定款に記載された目的遂行に必要か否かは，当該行為が目的遂行上現実に必要であったかどうかをもってこれを決すべきではなく，行為の客観的な性質に即し，抽象的に判断されなければならない。

Q05 判例によれば，法人格否認の法理によって，法人格を否認し得る場合として，法人格が濫用されたとき，及び法人格が形骸化しているときの２つがあげられている。

Q06 判例によれば，法人格否認の法理とは株式会社と株主個人の間において業務及び財産に継続的混同があるときには，会社の法人としての存在を全面的に否定し，会社法人格の背後にある個人をとらえてその責任を問う法理である。

A01 ○
3条。

A02 × 「負うことはない」⇒「負うことがある」
580条1項。 <07-04>

A03 ○
最判昭27. 2. 15，最判昭45. 6. 24。なお，民法33条2項，34条参照。 <07-04>

A04 ○
最判昭27. 2. 15，最判昭45. 6. 24。 <07-04>

A05 ○
最判昭44. 2. 27。

A06 × 「全面的に否定」⇒「特定の事案につき否定」
法人格否認の法理は，特定の事案につき会社の法人格の独立性を否定する法理である（最判昭44. 2. 27）。
<07-04>

Q07	会社は，設立の登記により成立し，清算結了の登記により消滅する。

A07 × 「清算結了の登記」⇒「清算結了」

会社は，設立の登記により成立し（49条，579条），清算の結了により消滅する。清算結了の登記は，設立登記と異なり創設的効力を持つものではなく，既に効力が生じた事項を公示するためのものである。

＜07-02＞＜20Ⅱ-01＞

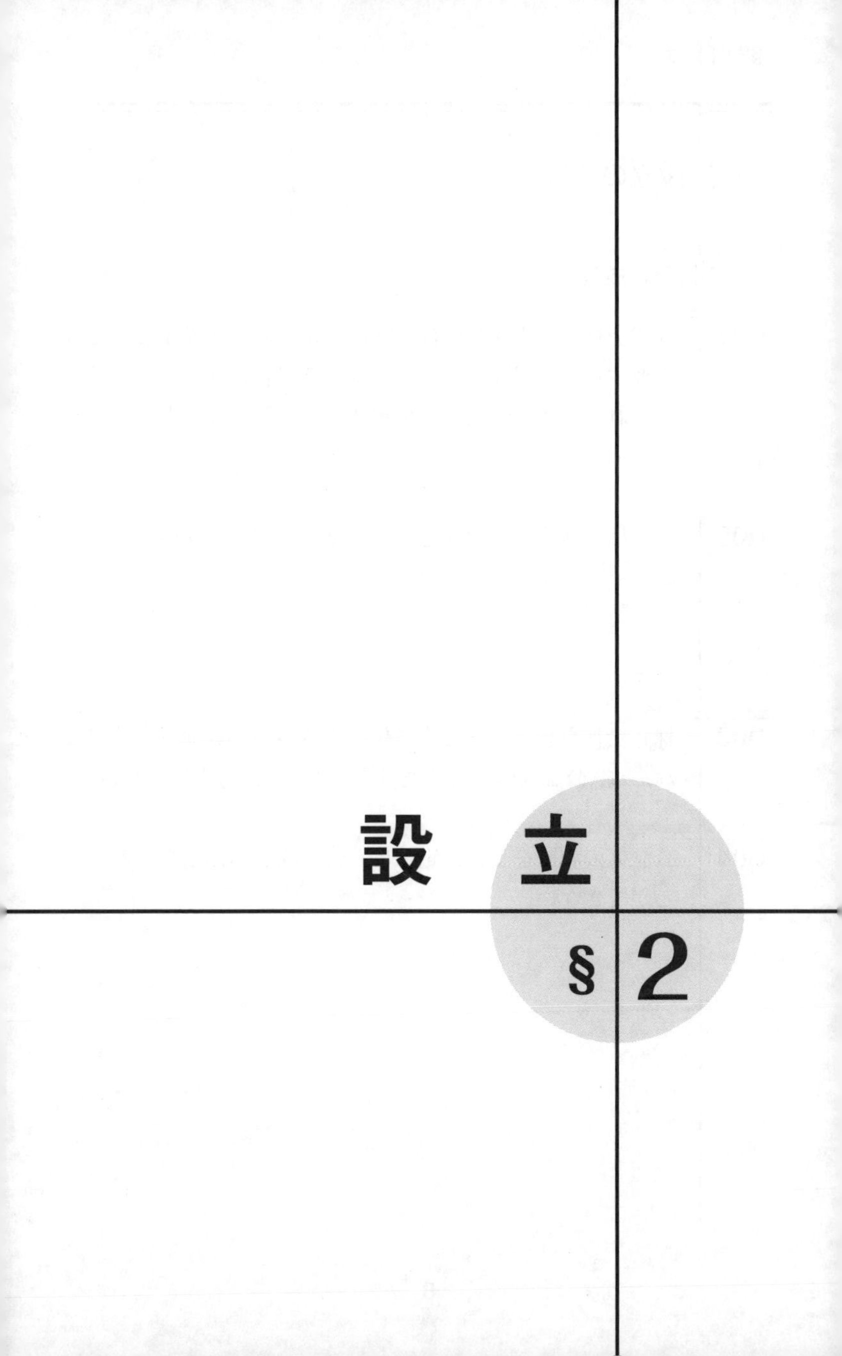

設　立

§2

2−1 設立の手続

1 定款の作成等

Q01 株式会社を設立するには，発起人が定款を作成することを要するが，書面によって作成する場合には，その全員がこれに署名し，又は記名押印しなければならない。

Q02 法人は，株式会社の発起人となることができない。

Q03 株式会社を設立するために作成する最初の定款（原始定款）は，公証人の認証を受けなければ，効力を生じない。

Q04 公証人の認証を受けた定款は，会社成立前は変更することができない。

A01　○

26条1項。電磁的記録によって定款を作成する場合については，26条2項，会社法施行規則225条参照。

＜12Ⅱ-03＞＜15Ⅱ-03＞＜17Ⅰ-04＞＜20Ⅰ-03＞

A02　×　**「できない」⇒「できる」**

発起人の資格に制限はない（331条1項参照）。

＜06-11＞＜11Ⅰ-02＞＜16Ⅱ-04＞＜18Ⅰ-03＞＜20Ⅱ-03＞

A03　○

26条1項，30条1項。　＜11Ⅰ-03＞＜17Ⅰ-04＞

A04　×　**「できない」⇒「できる場合がある」**

原則として変更できないが，例外的に認められている場合がある（30条2項，33条7項9項，37条1項2項，96条，98条）。　＜14Ⅱ-03＞＜15Ⅱ-03＞＜17Ⅱ-04＞＜21-03＞

Q05 設立に際して出資される財産の価額又はその最低額は，原始定款の絶対的記載事項である。

Q06 発起人は，株式会社の設立に際して，成立後の株式会社の資本金及び資本準備金の額に関する事項を定めようとする場合，定款に定めがあるときを除き，発起人の議決権の過半数をもって決定する。

Q07 発行可能株式総数は，原始定款の絶対的記載事項である。

Q08 公証人による定款の認証後でも，発行可能株式総数の定めを設けることができる。

Q09 株式会社の成立の時までに，発行可能株式総数についての定款の定めを変更するには，発起人全員の同意によらなければならない。

A05　○

27条4号。①目的，②商号，③本店の所在地，④設立に際して出資される財産の価額またはその最低額，⑤発起人の氏名または名称および住所は，原始定款の絶対的記載事項であり，その記載または記録がないと定款全体が無効となる（27条）。

<12Ⅰ-03><12Ⅱ-03><13Ⅱ-03><15Ⅱ-03><18Ⅰ-04><20Ⅱ-04>

A06　× **「議決権の過半数」⇒「全員の同意」**

32条1項3号。なお,32条1項1号2号にも注意。

<11Ⅱ-03><14Ⅰ-04><17Ⅱ-03><23Ⅰ-04><24Ⅱ-03>

A07　× **「である」⇒「ではない」**

発行可能株式総数は原始定款で定める必要がなく，会社成立時（＝登記，49条）までに定款に定めればよい（37条1項，98条）。　<06-03><12Ⅰ-03>

A08　○

37条1項。　<06-03><16Ⅰ-03>

A09　○

37条2項。なお,95条に注意。

<10Ⅱ-03><12Ⅱ-16><14Ⅰ-04><19Ⅰ-04><23Ⅱ-03>

Q10 公告方法は定款の絶対的記載事項ではなく，定款に記載がない場合，その方法は官報による。

Q11 会社は，定款で電子公告を公告方法とすることを規定していなければ公告方法として用いることはできない。

Q12 募集設立において設立時募集株式の払込期日が定められている場合，その期日以後は，発起人が定款を変更することができなくなる。

Q13 発起設立の場合，公証人による定款の認証後でも，発起人全員の同意を得れば，変態設立事項を新たに定めることができる。

Q14 発起人以外の者も，株式会社の設立に際して現物出資をすることができる。

A10　○

27条，939条1項4項。

＜06-03＞＜12Ⅱ-03＞＜14Ⅰ-03＞＜19Ⅰ-04＞

A11　○

939条1項2項4項。なお，2条33号34号参照。

＜06-03＞＜12Ⅱ-03＞＜14Ⅰ-03＞＜19Ⅰ-04＞

A12　○

58条1項3号，95条。　＜06-03＞＜19Ⅰ-04＞＜21-03＞

A13　×　「できる」⇒「できない」

変態設立事項は，原始定款に記載しなければ，その効力を生じない（28条）。なお，30条2項参照。

＜06-03＞＜12Ⅰ-02＞＜13Ⅱ-03＞＜14Ⅱ-03＞
＜17Ⅰ-03＞＜20Ⅰ-03＞＜23Ⅰ-04＞＜24Ⅰ-05＞

A14　×　「できる」⇒「できない」

会社設立時の現物出資は，発起人に限ってなしうる。発起人の出資の履行を規定した34条と設立時募集株式の引受人の払込義務を規定した63条を対比すると，34条1項が現物出資を予定しているのに対し，63条1項は金銭出資しか予定していないからである。

＜12Ⅰ-02＞＜17Ⅰ-03＞＜20Ⅱ-03＞

Q15 財産引受けをするには，その対象財産の価額の多寡にかかわらず，対象財産，その価額及び譲渡人の氏名又は名称を定款に記載しなければならない。

Q16 判例によれば，定款に記載のない財産引受けを設立後の株式会社が追認することはできない。

Q17 判例によれば，定款に記載のない財産引受けであっても，譲渡人は，その無効を主張することができない。

Q18 株式会社の負担する定款の認証の手数料は，定款に記載し，又は記録しなければ，その効力を生じない。

2 社員の確定（出資の引受け・履行）

Q01 発起人が割当てを受ける設立時発行株式の数に関する定めを設けようとする場合には，定款に当該設立時発行株式の数に関する定めがあるときを除き，発起人の全員の同意が必要である。

Q02 設立しようとする会社が公開会社である場合，その設立時発行株式の総数は発行可能株式総数の４分の１を下ることができない。

A15　○

28条2号。なお，33条10項1号参照。

A16　○

最判昭28. 12. 3。　＜16Ⅱ-04＞＜23Ⅰ-03＞

A17　**×　「あっても…できない」⇒「あれば…できる」**

定款に記載のない財産引受けの無効は，会社側だけでなく，いずれの当事者も主張し得る（最判昭28. 12. 3）。

＜19Ⅱ-03＞

A18　**×　「しなければ，その効力を生じない」**
⇒「しなくても，その効力を生じる」

28条4号かっこ書，なお，施行規則5条参照。

＜13Ⅱ-03＞＜18Ⅰ-04＞＜18Ⅱ-03＞＜23Ⅰ-03＞

A01　○

32条1項1号。　＜14Ⅰ-04＞＜17Ⅱ-03＞＜24Ⅱ-03＞

A02　○

37条3項。　＜13Ⅰ-04＞＜18Ⅱ-03＞＜23Ⅰ-03＞

Q03 発起人以外の株式引受人の出資額が定款で定めた設立に際して出資される財産の最低額を超えていれば，発起人は設立時発行株式を引き受けなくてもよい。

Q04 心裡留保及び通謀虚偽表示を理由とする無効についての民法の規定は，設立時発行株式の引受けに関する意思表示には適用されない。

Q05 発起人は，株式会社の成立後は，錯誤，詐欺又は強迫を理由として設立時発行株式の引受けの取消しをすることができない。

Q06 設立時募集株式の引受人は，株式会社の成立後又は創立総会若しくは種類創立総会においてその議決権を行使した後は，錯誤，詐欺又は強迫を理由として設立時発行株式の引受けの取消しをすることができない。

Q07 株式会社の成立後，未成年を理由として設立時発行株式の引受けの取消しをすることができる。

Q08 発起設立の場合，発起人の出資に係る金銭の払込みは，銀行等の払込みの取扱いの場所においてすることを要しない。

A03　× 「引き受けなくてもよい」
⇒「１株以上引き受けなければならない」

各発起人は，株式会社の設立に際し，設立時発行株式を１株以上引き受けなければならない（25条2項）。
＜06-04＞＜11Ⅰ-03＞＜17Ⅰ-03＞＜22Ⅰ-03＞

A04　○

51条1項，102条5項。

A05　○

51条2項。　＜10Ⅰ-03＞＜11Ⅱ-03＞＜14Ⅱ-03＞

A06　○

102条6項。　＜07-01＞＜16Ⅰ-04＞＜19Ⅰ-03＞
＜22Ⅰ-04＞＜22Ⅱ-03＞

A07　○

未成年等の制限行為能力を理由とする株式の引受けの取消し（民法5条，9条，13条，17条）は制限されていない。

A08　× 「要しない」⇒「要する」

34条2項。

Q09 発起人が出資の履行をすることにより設立時発行株式の株主となる権利を，当該発起人が譲渡したときは，当該譲渡は無効である。

Q10 発起人のうち，出資の履行をしていない者がいた場合には，その者は当然に失権する。

Q11 設立時募集株式の引受人が，設立時募集株式の払込金額の払込みをしなかった場合，その者は当然に失権する。

Q12 発起設立と募集設立のいずれの場合においても，払込みの取扱いをした銀行等は，発起人から請求を受けたときは，払い込まれた金額に相当する金銭の保管に関する証明書を交付しなければならない。

Q13 募集設立の場合，払込金保管証明書を交付した銀行等は，その記載が事実と異なっていたり，払い込まれた金銭の返還に関する制限がついていたりしても，成立後の会社にその旨を主張できない。

A09 × 「無効である」
⇒「成立後の株式会社に対抗することができない」
35条。 <08-03><11Ⅱ-03><14Ⅰ-04><18Ⅰ-07><18Ⅱ-04><22Ⅱ-03>

A10 × 「当然に失権する」⇒「当然には失権しない」
発起人のうち，出資の履行をしていない者がいた場合には，他の発起人がこの者に対して期日を定めて失権予告付催告をし（36条1項2項），この期日までに履行がないと，その発起人は株主となる権利を失うことになる（36条3項）。 <11Ⅰ-04><17Ⅰ-04><24Ⅰ-03>

A11 ○
63条3項。 <20Ⅱ-03><22Ⅱ-03>

A12 × 「発起設立と募集設立のいずれの場合」
⇒「募集設立の場合」
64条1項（⇔34条2項）。 <11Ⅰ-03><13Ⅰ-03><22Ⅰ-03>

A13 ○
64条2項。 <17Ⅰ-03>

Q14 不動産の現物出資をする場合，発起人全員の同意があるときは，その引渡し及び登記は，会社の成立後にすることができる。

Q15 設立時募集株式の引受人は，設立時募集株式と引換えにする金銭の払込みの期日が定められている場合には，当該期日に，出資の履行をした設立時募集株式の株主となる。

3 機関の具備・設立手続の調査

Q01 発起設立の場合において，発起人が２人以上いるときは，発起人は，出資の履行が完了した後，遅滞なく，その全員の同意をもって，設立時取締役，設立時監査役等を選任しなければならない。

A14　**× 「引渡し及び登記」⇒「登記」**

現物出資について，発起人全員の同意があるときは，登記，登録その他権利の設定または移転を第三者に対抗するために必要な行為は，株式会社の成立後にしてもよい（34条1項ただし書）。

＜12Ⅰ-02＞＜14Ⅰ-04＞＜20Ⅰ-03＞＜24Ⅱ-04＞

A15　**× 「当該期日」⇒「株式会社成立の時」**

49条，102条2項。　＜11Ⅰ-03＞＜16Ⅰ-03＞

A01　**× 「発起人の全員の同意」⇒「発起人の議決権の過半数」**

前段は正しい（38条1項3項）。後段については，発起人は１株につき１議決権を有し，原則として，その議決権の過半数で決する（40条1項2項）。

＜10Ⅱ-03＞＜11Ⅱ-03＞＜13Ⅱ-04＞＜17Ⅱ-03＞
＜19Ⅱ-03＞＜22Ⅰ-03＞

Q02 発起設立の場合において，発起人が２人以上いるときは，設立時監査役の解任は，発起人の議決権の過半数をもって決定しなければならない。

Q03 募集設立の場合，設立時取締役，設立時監査役等の選任は発起人の議決権の過半数によって決する。

Q04 取締役会設置会社（指名委員会等設置会社を除く。）を募集設立の方法で設立する場合には，創立総会の決議によって，設立時代表取締役を選定しなければならない。

Q05 発起設立の場合において，発起人は，公証人の認証を受けた定款で定められて選任されたものとみなされた設立時取締役を，株式会社の成立の時までの間，解任することができない。

Q06 募集設立において定款に現物出資の記載がある場合，設立時取締役は，裁判所に対し，検査役の選任の申立てをしなければならない。

A02　**×　「過半数」⇒「3分の2以上に当たる多数」**

設立時監査等委員である設立時取締役または設立時監査役の解任は，発起人の議決権の3分の2以上に当たる多数をもって行う（43条1項かっこ書）。それ以外の，設立時役員等の解任は，発起人の議決権の過半数をもって決定する（43条1項）。　<10Ⅱ-03><11Ⅱ-02><13Ⅱ-04><14Ⅱ-03><16Ⅰ-03><17Ⅱ-03><23Ⅰ-04>

A03　**×　「発起人の議決権の過半数」⇒「創立総会の決議」**

88条。　<10Ⅱ-03><11Ⅱ-03><13Ⅱ-04><17Ⅱ-04><22Ⅰ-03>

A04　**×　「創立総会の決議」⇒「設立時取締役の過半数」**

25条1項2号・47条3項。　<10Ⅱ-03><16Ⅰ-04>

A05　**×　「解任することができない」⇒「解任することができる」**

43条1項。なお，募集設立における91条参照。
<13Ⅰ-03><13Ⅱ-04><24Ⅱ-04>

A06　**×　「設立時取締役」⇒「発起人」**

25条1項2号，33条1項。　<19Ⅱ-03>

Q07 公証人の認証を受けた定款に発起人の報酬に関する事項についての記載又は記録があり，当該事項の調査のため検査役が選任された場合において，検査役の報告を受けた裁判所は，当該事項を不当と認めたときは，これを変更する決定をしなければならない。

Q08 現物出資の履行が完了しているかどうかは，裁判所の選任する検査役がいても，設立時取締役が調査しなければならない。

Q09 定款に記載された現物出資財産等の価額の総額が500万円を超えない場合には，裁判所の選任する検査役の調査は不要である。

Q10 現物出資財産等が市場価格のある有価証券で，定款記載の価額がその当該有価証券の市場価格として法務省令で定める方法により算定されるものを超えない場合，裁判所の選任する検査役の調査は不要である。

Q11 不動産を現物出資する場合において，当該不動産について定款に記載され，又は記録された価額が相当であることについて，公認会計士の証明を受けたときは．裁判所の選任する検査役の調査を受けることを要しない。

Q12 募集設立において，公証人の認証を受けた定款は，創立総会の決議により変更することができる。

A07　○

33条7項。なお，33条7項は募集設立の場合にも適用される（25条1項2号）。　<14Ⅰ-03><18Ⅱ-03>

A08　○

46条1項3号，93条1項3号。なお，監査役設置会社である場合にあっては設立時監査役も調査しなければならない。　<13Ⅰ-03><16Ⅱ-03><22Ⅰ-03>

A09　○

33条10項1号。

A10　○

33条10項2号。

A11　×　**「公認会計士の証明」**

⇒「公認会計士の証明及び不動産鑑定士の鑑定評価」

33条10項3号。　<07-07><12Ⅰ-02><24Ⅰ-06>

A12　○

96条。なお，95条に注意。　<15Ⅱ-03>

Q13 創立総会は，会社法に規定する事項及び株式会社の設立その他株式会社に関する一切の事項について決議をすることができる。

Q14 創立総会においては，招集通知に，創立総会の目的である事項として定款の変更又は株式会社の設立の廃止が記載されていなくても，その決議をすることができる。

Q15 創立総会の決議は，原則として，当該創立総会において議決権を行使することができる設立時株主の議決権の過半数であって，出席した当該設立時株主の議決権の３分の２以上に当たる多数をもって行う。

Q16 設立しようとする株式会社が種類株式発行会社である場合を除き，創立総会において定款を変更し，全部の株式を取得条項付株式とするには，設立時株主全員の同意が必要である。

Q17 設立しようとする株式会社が種類株式発行会社である場合を除き，創立総会において定款を変更し，全部の株式を譲渡制限株式とするには，設立時株主全員の同意が必要である。

A13　×　**「株式会社に関する一切の事項」**
⇒「株式会社の設立に関する事項」
66条。　＜17Ⅱ-04＞

A14　○
73条4項。　＜19Ⅰ-03＞＜23Ⅱ-04＞

A15　○
73条1項。　＜12Ⅰ-03＞＜13Ⅱ-04＞＜19Ⅰ-03＞＜21-03＞＜24Ⅱ-04＞

A16　○
73条3項。　＜07-01＞

A17　×　**「必要である」⇒「必要でない」**
創立総会において議決権を行使することができる設立時株主の半数以上であって，当該設立時株主の議決権の3分の2以上に当たる多数をもって行う（73条2項）。設立時株主全員の同意までは要求されていない。
＜07-01＞＜15Ⅰ-03＞

Q18 創立総会で設立の廃止を決議する場合には，設立時株主は，その引き受けた設立時発行株式が議決権制限株式であっても，議決権を行使することができる。

2–2 設立の瑕疵

Q01 株式会社の設立の無効は，会社成立の日から２年以内に，株主のみが，訴えを提起することによって主張できる。

Q02 設立後に発起人でない株式引受人が未成年を理由に引受けを取り消しても，他の株主の出資額が定款で定めた設立時の出資価額を超えていれば，設立無効事由とはならない。

Q03 失権により，発起人が１株も引き受けないことになった場合には，設立無効事由となる。

A18　**○**

72条2項3項。　<07-01><15Ⅰ-03><21-01>

A01　**×　「株主のみ」⇒「株主等」**

828条1項1号2項1号。

<10Ⅰ-03><12Ⅱ-04><23Ⅱ-03>

A02　**○**

会社法では，「設立に際して出資される財産の価額又はその最低額」が原始定款の記載事項とされているから(27条4号)，株式引受人が未成年を理由に引受けを取り消しても，他の出資者が出資した財産の価額が定款において定めた価額を下回らなければ，設立無効事由とはならない。　<06-04>

A03　**○**

発起人は設立時発行株式を１株以上引き受けなければならないので（25条2項），失権により発起人が１株も引き受けないことになった場合には「設立に際して出資される財産の価額又はその最低額」を満たしていても設立無効事由となる。

Q04 株式会社の設立に関して，設立の無効の訴えと設立の取消しの訴えが認められている。

Q05 発起人がその債権者を害することを知りながら現物出資を行った場合，会社成立後に，その債権者は設立の取消しの訴えを提起できる。

Q06 株式会社の債権者は，設立の無効の訴えを提起することはできない。

Q07 株式会社の設立の無効の訴えは，会社成立の日から３年以内に提起する必要がある。

Q08 株式会社の設立を無効とする判決が確定した場合，その判決の効力は第三者にも及ぶ。

Q09 株式会社の設立を無効とする判決が確定した場合でも，すでに会社，株主及び第三者の間に生じた権利義務には影響を及ぼさない。

A04　**×　（設立の取消しの訴えが）「認められている」**
⇒「認められていない」

持分会社の設立の取消しの訴え（832条）のような規定が株式会社にはなく，設立の取消しの訴えは認められていない。　<12Ⅱ-04><18Ⅱ-04>

A05　**×　「できる」⇒「できない」**

株式会社には，設立の取消しの訴え（832条2号参照）は認められていない。

<06-04><12Ⅱ-04><20Ⅰ-03>

A06　**○**

828条2項1号。　<10Ⅰ-03><12Ⅱ-04><16Ⅱ-03>

A07　**×　「３年以内」⇒「２年以内」**

株式会社の設立の無効の訴えは，会社成立の日から２年以内に限り提起することができる（828条1項1号）。

<10Ⅰ-03><12Ⅱ-04>

A08　**○**

838条。　<12Ⅱ-04><16Ⅱ-03>

A09　**○**

設立を無効とする判決には遡及効がなく，設立の無効は将来に向かってのみ効力を有する（834条1号，839条）。株式会社は，解散の場合に準じて清算を行うことになる（475条2号）。

<06-04><18Ⅱ-03><20Ⅱ-03><23Ⅱ-17>

2−3 設立に関する責任

Q01 現物出資又は財産引受けの目的となった財産について，会社成立当時の実価が定款で定めた価額に著しく不足する場合において，発起人及び設立時取締役は連帯してその不足額を支払う義務を負う。

Q02 Q01の場合において，当該事項について検査役の調査を受けたときには，現物出資者又は財産の譲渡人以外の発起人及び設立時取締役は不足額を支払う義務を負わない。

Q03 Q01の場合において，発起設立では，現物出資者又は財産の譲渡人以外の発起人及び設立時取締役がその職務を行うにつき，注意を怠らなかったことを証明した場合には当該発起人及び設立時取締役は責任を負わない。

Q04 Q01の場合において，募集設立では，検査役の調査による免責は認められているが，無過失による免責は認められず，発起人は無過失責任を負う。

Q05 Q01の場合において，現物出資者又は財産引受けの譲渡人は，検査役による調査の有無，過失の有無にかかわらず，不足額を支払う義務を負う。

A01　○

52条1項，54条。なお，**Q02～Q04**の例外に注意。

A02　○

52条2項1号。　<08-02><16Ⅰ-04>

A03　○

52条2項2号。　<08-02>

A04　○

103条1項。　<08-02><16Ⅰ-04>

A05　○

52条2項柱書かっこ書。　<08-02><12Ⅰ-03>

Q06	Q01の場合において，発起人及び設立時取締役は，総株主の同意があれば，不足額の支払義務を免れることができる。
Q07	発起人が出資に係る金銭の払込みを仮装した場合には，発起人は払込みを仮装した出資に係る金銭の全額の支払義務を負う。
Q08	発起人がその出資に係る金銭の払込みを仮装することに関与した発起人又は設立時取締役として法務省令で定める者は，株式会社に対し，当該発起人と連帯して払込みを仮装した出資に係る金銭の全額の支払をする義務を負うが，その者（当該出資に係る金銭の払込みを仮装したものを除く。）がその職務を行うについて注意を怠らなかったことを証明した場合は，この限りでない。
Q09	出資の履行を仮装した者が負う義務は，総株主の同意によって，免除することができない。
Q10	出資に係る金銭の払込みを仮装した発起人が，払込みを仮装した出資に係る金銭の全額の支払義務を負う場合には，当該支払がされた後でなければ，払込みを仮装した設立時発行株式について，設立時株主及び株主の権利を行使することができない。

A06 ○

55条。 <08-02>

A07 ○

52条の2第1項1号。払込みを仮装した設立時募集株式の引受人の責任について，102条の2第1項同旨。なお，発起人が現物出資の給付を仮装した場合の責任について，52条の2第1項2号参照。 <22 I -04>

A08 ○

52条の2第2項3項。なお，募集設立の場合に払込みの仮装に関与した発起人等の責任について，103条2項同旨。 <24 II -04>

A09 × 「できない」⇒「できる」

出資の履行を仮装した者が負う義務（52条の2第1項，102条の2第1項）は，総株主の同意があれば免除できる（55条，102条の2第2項）。

A10 ○

52条の2第4項。 <22 II -03>

Q11 出資の履行を仮装した設立時発行株式又はその株主となる権利を譲り受けた者は，当該設立時発行株式についての設立時株主及び株主の権利を行使することができない。

Q12 発起人の会社に対する任務懈怠責任は，総株主の同意がなければ免除されない。

Q13 発起人がその職務を行うについて悪意又は重大な過失があったときは，発起人は，これによって第三者に生じた損害を賠償する責任を負う。

Q14 発起人は，会社が不成立となった場合，設立に関して支出した費用を負担する。

Q15 発起人でない者は，設立時募集株式の募集の広告に自己の氏名及び株式会社の設立を賛助する旨を記載することを承諾した場合には，会社法上の発起人としての責任を負う。

A11　×　「できない」⇒「できる」

取引の安全のため，設立時発行株式またはその株主となる権利を譲り受けた者は，当該設立時発行株式についての設立時株主・株主の権利を行使することができる（52条の2第5項本文）。ただし，その者に悪意・重過失があるときは，この限りでない（52条の2第5項ただし書）。払込みを仮装した設立時募集株式の引受人から設立時発行株式またはその株主となる権利を譲り受けた場合について，102条4項同旨。　<16Ⅱ-04>

A12　○

55条。　<08-02><18Ⅰ-03><24Ⅰ-03>

A13　○

53条2項。　<10Ⅰ-03><17Ⅰ-04><18Ⅰ-03>

A14　○

56条。　<06-04><12Ⅱ-04><18Ⅱ-04><24Ⅱ-03>

A15　○

103条4項。　<16Ⅱ-03><22Ⅰ-04>

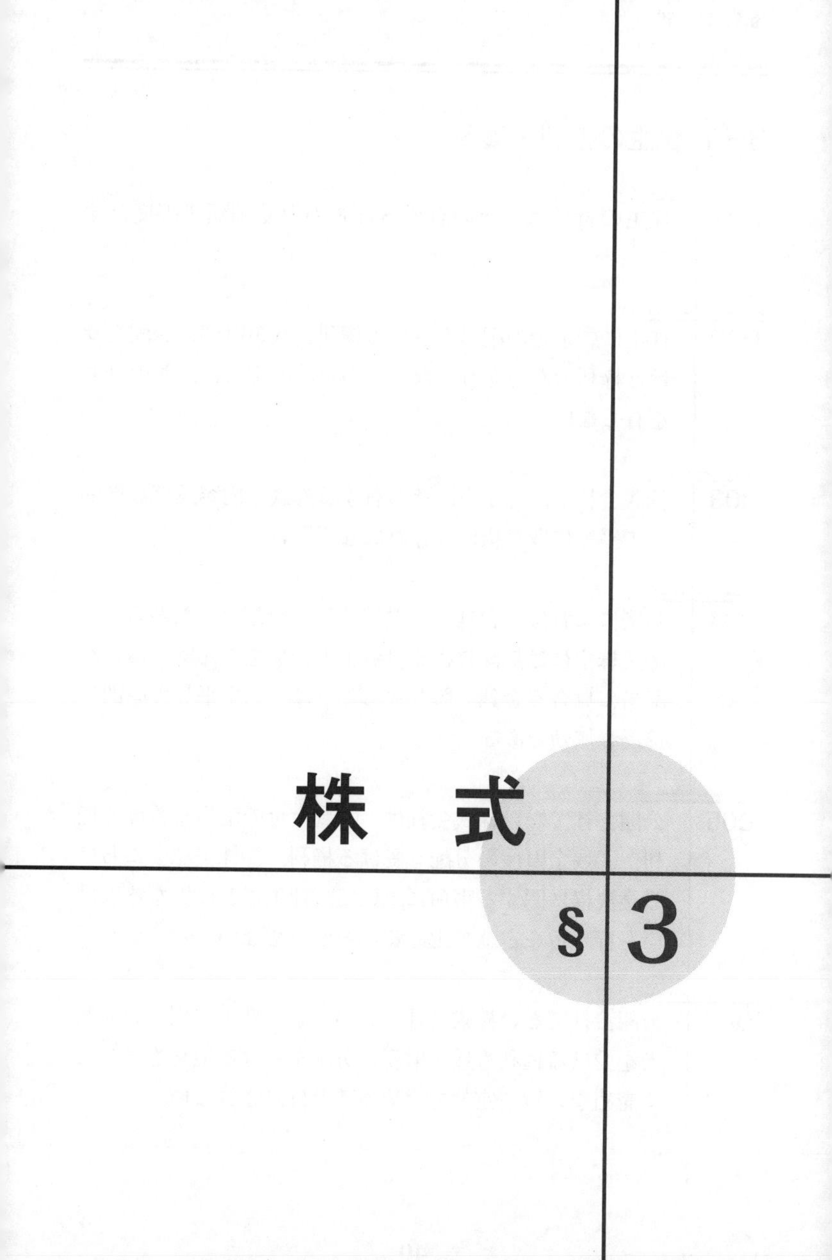

株　式 §3

3−1　株主の権利・義務

Q01　株主の責任は，その有する株式の引受価額を限度とする。

Q02　株主に剰余金の配当を受ける権利と残余財産の分配を受ける権利の双方を与えない旨の定款の定めは，その効力を有しない。

Q03　株式会社は，株主を，その有する株式の内容及び数に応じて平等に取り扱わなければならない。

Q04　判例によれば，会社が一般株主には無配としながら，一部大株主には無配による投資上の損失をてん補するため配当に見合う金銭を贈与することは，株主平等の原則に違反し無効である。

Q05　公開会社でない株式会社は，①剰余金の配当を受ける権利，②残余財産の分配を受ける権利，③株主総会における議決権に関する事項について，株主ごとに異なる取扱いを行う旨を定款で定めることができない。

Q06　公開会社でない株式会社においても，株主に剰余金の配当を受ける権利も残余財産の分配を受ける権利もまったく認めない旨を定款で定めることは許されない。

A01　○

104条。　＜11Ⅰ-04＞

A02　○

105条2項。＜06-05＞＜07-08＞＜08-04＞＜11Ⅰ-04＞＜15Ⅰ-05＞＜17Ⅰ-06＞＜18Ⅰ-05＞

A03　○

株主平等の原則（109条1項）。

A04　○

このような贈与は株主平等原則に違反し，無効である（最判昭45. 11. 24）。

A05　×　「できない」⇒「できる」

109条2項。なお，309条4項に注意。

＜10Ⅰ-09＞＜10Ⅱ-04＞＜15Ⅰ-05＞＜19Ⅱ-04＞＜22Ⅱ-04＞＜24Ⅰ-05＞

A06　○

105条2項。109条2項による定めも，株式会社の本質に反したり，株主の基本的権利を奪うものであってはならない。　＜07-08＞＜18Ⅰ-05＞

3-2 株式の内容と種類

Q01 種類株式発行会社とは，定款で，内容の異なる２以上の種類の株式の内容が規定されている会社であり，現に２以上の種類の株式を発行している必要はない。

Q02 定款に定めがなくても，種類株式を発行できる場合がある。

Q03 株式会社は，剰余金の配当を受ける権利及び残余財産の分配を受ける権利について内容の異なる株式を発行することができる。

Q04 ある種類の株式の株主に株主総会における議決権を与えない旨の定款の定めは無効である。

Q05 株主総会において議決権を行使することができる事項に関する定款の定めは，種類株主総会における議決権の行使にも適用される。

Q06 種類株式発行会社が公開会社である場合に，議決権制限株式の数が，発行済株式の総数の２分の１を超えるに至ったときは，直ちに，２分の１以下にするための必要な措置をとらなければならない。

A01 ○

2条13号，184条2項かっこ書。

A02 × 「場合がある」⇒「場合はない」

108条2項柱書。 <06-05>

A03 ○

108条1項1号2号。

<11Ⅱ-04><15Ⅰ-05><17Ⅰ-06><24Ⅰ-05>

A04 × 「無効」⇒「有効」

108条1項3号2項3号。 <08-04>

A05 × 「適用される」⇒「適用されない」

108条1項3号は，「株主総会において」議決権を行使することができる事項と規定している。 <15Ⅱ-04>

A06 ○

115条。 <06-05><07-08><11Ⅱ-04><12Ⅱ-05><17Ⅰ-06>

Q07	公開会社では，１株につき２個の議決権を与える旨を定款で定めることができる。
Q08	定款を変更して，会社が発行する全部の株式を取得条項付株式とするには，株主全員の同意を得なければならない。
Q09	種類株式発行会社が，ある種類の株式を全部取得条項付種類株式にする旨の定款変更をしようとするときは，当該種類の株式を有する株主全員の同意を得なければならない。
Q10	株主総会の普通決議によって，会社がある種類の株式の全部を取得することができる旨の定款の定めは無効である。
Q11	株式会社による全部取得条項付種類株式の全部の取得が法令又は定款に違反する場合において，これにより不利益を受けるおそれがある株主は，会社法に基づき，当該株式会社に対し，当該取得をやめることを請求することができる。

A07　×　「できる」⇒「できない」

法定の態様以外の種類株式を発行することはできない。会社法が認めているのは，議決権制限株式である（108条1項3号2項3号イ，115条かっこ書）。　<10Ⅱ-04>

A08　○

110条。　<06-05><18Ⅰ-05><19Ⅱ-10>

A09　×　**「全部取得条項付種類株式」**
⇒「取得条項付種類株式」

111条1項。なお，全部取得条項付種類株式にする旨の定款変更には，定款変更に係る株主総会の決議（466条，309条2項11号）のほか，種類株主総会の特別決議による承認が必要である（111条2項，324条2項1号）。
<11Ⅱ-04><18Ⅱ-05><23Ⅰ-10>

A10　○

全部取得条項付種類株式の取得に関する決定には，株主総会の特別決議が必要である（108条1項7号，171条1項，309条2項3号）。　<08-04><13Ⅱ-06>

A11　○

171条の3。　<18Ⅰ-06>

Q12 定款で剰余金の配当について内容の異なるA種類株式とB種類株式の２種類の株式を発行する旨を定めている甲株式会社において，A種類株式を譲渡制限株式とするための定款変更をするには，株主総会の特殊決議（原則として，株主総会において議決権を行使することができる株主の半数以上であって，当該株主の議決権の３分の２以上に当たる多数をもって行う決議）を要する。

Q13 定款を変更して，ある種類の株式の内容として譲渡による当該種類の株式の取得について当該株式会社の承認を要する旨の定めを設ける場合，反対株主には株式買取請求権が与えられる。

Q14 株式会社は，株主総会又は取締役会において決議すべき事項のうち，当該決議のほか，当該種類の株式の種類株主を構成員とする種類株主総会の決議があることを必要とする種類株式を発行することができる。

Q15 ある種類の株式の種類株主を構成員とする種類株主総会において取締役を選任することができる種類株式は，公開会社においては発行することができない。

Q16 定款を変更して発行可能株式総数を増加する場合には，公開会社でも公開会社でない株式会社でも，当該定款の変更が効力を生じた時における発行済株式の総数の４倍を超えることができない。

A12　×　**「株主総会の特殊決議」**
⇒「株主総会の特別決議」＋「種類株主総会の特殊決議」
通常の定款変更手続（466条, 309条2項11号）のほか, 原則として, A種類株主総会の特殊決議を要する（111条2項, 324条3項1号）。　＜18Ⅰ-09＞

A13　○
116条1項2号。　＜15Ⅰ-05＞

A14　○
108条1項8号2項8号, 323条。
＜07-08＞＜08-04＞＜24Ⅰ-05＞

A15　○
108条1項ただし書。指名委員会等設置会社も発行できないことに注意。
＜06-05＞＜07-08＞＜11Ⅱ-04＞＜17Ⅰ-06＞
＜18Ⅱ-05＞＜19Ⅱ-04＞＜24Ⅰ-05＞

A16　×　**「公開会社でも公開会社でない株式会社でも」**
⇒「公開会社では」
113条3項1号。　＜19Ⅱ-04＞

Q17 公開会社でない株式会社が定款を変更して公開会社となる場合には，当該定款の変更後の発行可能株式総数は，当該定款の変更が効力を生じた時における発行済株式の総数の４倍を超えることができない。

3−3 株 券

Q01 株式に係る株券を発行するには，その旨を定款に定めなければならない。

Q02 種類株式発行会社にあっては，一部の種類の株式につき株券を発行する旨を定めることができる。

Q03 判例によれば，株券は，これを作成して株主に交付することによって有価証券として成立する。

Q04 公開会社である株券発行会社は，株式を発行した日以後遅滞なく，当該株式に係る株券を発行しなければならない。

Q05 公開会社でない株券発行会社は，株主から請求がある時までは，株券を発行しないことができる。

A17 ○

113条3項2号。

A01 ○

214条。株券発行会社の定義につき117条7項かっこ書参照。

A02 × 「一部」⇒「全部」

株券発行に関する定款の定めは，「全部の種類の株式」につき株券を発行するかどうかを定めることができるだけである（214条かっこ書）。 <22Ⅱ-06>

A03 ○

最判昭40. 11. 16。 <20Ⅰ-04><24Ⅰ-07>

A04 ○

215条1項。

A05 ○

215条4項。

Q06 株券発行会社の株主は，当該株券発行会社に対し，当該株主の有する株式に係る株券の所持を希望しない旨を申し出ることができる。

3−4 株式の流通

Q01 払込みをすることにより設立時発行株式の株主となる権利の譲渡は，譲渡の当事者間においても，成立後の株式会社に対しても，その効力を生じない。

Q02 株券が発行されている株式の譲渡は，自己株式の処分による株式の譲渡を除いて，当該株式に係る株券を交付しなければ，その効力を生じない。

Q03 株券の発行前にした譲渡は，株券発行会社に対し，その効力を生じない。

Q04 無権利者から譲渡により株券の交付を受けた者は，悪意がある場合を除いて，当該株券に係る株式についての権利を取得する。

Q05 株券不発行会社においては，株式（振替株式を除く。）の譲渡は，当事者間では意思表示のみで効力が発生する。

A06　○

217条1項。　<22Ⅱ-06>

A01　× **「譲渡の当事者間においても，成立後の株式会社に対しても」**
⇒「成立後の株式会社に対して」

権利株の譲渡は，「株式会社に対抗することができない」と規定されている（35条, 50条2項, 63条2項）。「会社に」対抗できないと規定されているから，当事者間では有効である。<08-03><11Ⅱ-03><14Ⅰ-04><18Ⅱ-04>

A02　○

128条1項。なお, 129条1項, 209条1項参照。
<08-03><16Ⅱ-06><20Ⅰ-04>

A03　○

128条2項。

A04　× **「悪意がある場合」⇒「悪意又は重過失がある場合」**

131条2項ただし書。　<08-03><20Ⅰ-04>

A05　○

128条1項本文の反対解釈。　<16Ⅱ-06>

3

Q06 譲渡制限株式の取得者は，株式会社に対し，当該譲渡制限株式を取得したことについて承認をするか否かの決定をすることを請求することができない。

Q07 譲渡制限株式を相続により取得した者は，会社に対しその取得の承認を請求しなければならない。

Q08 判例によれば，会社の事前の承認を得ずになされた譲渡制限株式の譲渡は，会社に対する関係では効力を生じないが，譲渡当事者間では有効である。

Q09 判例によれば，一人会社である取締役会設置会社においてその株主がその保有する株式を他に譲渡した場合，取締役会の承認決議がなくても，譲渡は会社に対する関係でも有効である。

Q10 株式の譲渡による取得について，株主以外の者が取得することについてのみ会社の承認を要する旨を定款で定めることができる。

Q11 取締役会設置会社でない株式会社が，譲渡制限株式の譲渡による取得の承認をするか否かを決定するには，定款に別段の定めがある場合を除き，株主総会の決議によらなければならない。

A06　**×「できない」⇒「できる」**

137条1項。　<17Ⅱ-05>

A07　**×「請求しなければならない」**
⇒「請求する必要はない」

譲渡制限株式は「譲渡」による取得についての制限であって（2条17号，107条1項1号，108条1項4号），相続による取得には適用されない。なお，134条4号参照。

<20Ⅱ-05><22Ⅱ-05>

A08　**○**

最判昭48.6.15。なお，137条1項は，当事者間では有効であることを前提とした規定である。　<20Ⅱ-05>

A09　**○**

最判平5.3.30。

A10　**○**

107条2項1号ロ，108条2項4号。　<20Ⅱ-05>

A11　**○**

139条1項。　<11Ⅰ-05>

Q12　株式の譲渡による取得について，取締役会設置会社では，取締役会でなく株主総会の承認を要する旨を定款に定めることはできない。

Q13　株式会社が譲渡承認請求に係る当該株式会社の発行する譲渡制限株式を買い取る場合には，買い取る旨及びその株式の数の決定は，株主総会の特別決議によらなければならない。

Q14　取締役会設置会社における，譲渡制限株式の指定買取人の指定は，定款に別段の定めがある場合を除き，株主総会の特別決議によらなければならない。

Q15　株主が譲渡承認請求をしたにもかかわらず，請求の日から2週間以内に，株式会社が承認するか否かの通知をしないときは，当該株式会社は，当該株主との間で別段の合意をした場合を除き，承認をしない旨の決定をしたものとみなされる。

3−5 株主の会社に対する権利行使

Q01　株券発行会社の株主は，当該株券発行会社に対し，当該株主についての株主名簿に記載された株主名簿記載事項を記載した書面の交付を請求することができない。

Q02　何人でも株主名簿の閲覧の請求をすることができる。

A12　**×　「できない」⇒「できる」**

139条1項ただし書。　＜12Ⅱ-05＞

A13　**○**

140条2項，309条2項1号。　＜14Ⅰ-05＞＜15Ⅰ-04＞

A14　**×　「株主総会の特別決議」⇒「取締役会の決議」**

140条5項。　＜14Ⅰ-05＞

A15　**×　「承認をしない旨」⇒「承認をする旨」**

145条1号。　＜14Ⅰ-05＞＜17Ⅱ-05＞

A01　**○**

122条1項4項。　＜13Ⅰ-06＞＜18Ⅱ-06＞

A02　**×　「何人でも」⇒「株主および会社債権者に限って」**

125条2項。なお，親会社の社員につき125条4項参照。

＜13Ⅰ-06＞＜22Ⅰ-05＞

Q03 会社が株主に対してする通知又は催告は，株主名簿に記載又は記録した当該株主の住所にあてて発すれば足りる。その通知又は催告が到達しなかったときでも，通常到達すべきであった時に，到達したものと推定される。

Q04 株券不発行会社においては，株主名簿の記載又は記録が，会社以外の第三者との関係でも，株式（振替株式を除く。）の譲渡や質入れの対抗要件となる。

Q05 株券発行会社における株式の譲渡は，株主名簿の名義書換をしなければ，第三者に対抗することができない。

Q06 株券発行会社であるか否かを問わず，株式会社の株式（振替株式を除く。）の譲渡を当該株式会社に対抗するためには，株主名簿の名義書換が必要である。

Q07 株券発行会社における株主名簿の名義書換は，株券の占有者が会社に株券を呈示して単独で行うことができる。

A03　×　「推定される」⇒「みなされる」

前段は正しい（126条1項）。後段は，到達したものとみなされる（126条2項）。なお，当該株主が別に通知または催告を受ける場所または連絡先を当該株式会社に通知した場合にあっては，その場所または連絡先にあてて発すればよい（126条1項かっこ書）。

A04　○

130条1項，147条1項。　<16Ⅱ-06>

A05　×　「できない」⇒「できる」

130条2項。株券発行会社では，株式について二重譲渡はあり得ない（128条1項）ので，株券不発行会社のような，第三者に対する対抗要件（130条1項）という問題は生じない。　<16Ⅱ-06><18Ⅱ-06>

A06　○

130条1項2項。　<16Ⅱ-06><18Ⅱ-06>

A07　○

133条2項・会社法施行規則22条2項1号。なお，131条1項に注意。

Q08 株券不発行会社（振替株式を除く。）における株主名簿の名義書換は，原則としてその取得した株式の株主として株主名簿に記載又は記録された者と株式の取得者が共同してしなければならない。

Q09 株券発行会社の株主及び登録株式質権者は，株式会社に対し，当該株主及び登録株式質権者についての株主名簿に記載された株主名簿記載事項を記載した書面の交付を請求することができる。

Q10 判例によれば，株券発行会社は株主名簿名義書換未了の株式譲受人を株主として扱うことができない。

Q11 判例によれば，株式譲受人の名義書換請求を正当の事由なくして拒絶した会社でも，名義書換のないことを理由にその譲渡を否認し得る。

Q12 株主は株主名簿の閲覧及び謄写を求めることができるが，会社の債権者は株主名簿の閲覧及び謄写を求めることができない。

A08　**○**

133条2項。

A09　**×　「株券発行会社」⇒「株券不発行会社」**

122条1項4項，149条1項4項。なお，電磁的記録の場合も同様である。　<13 I -06><18 II -06>

A10　**×　「できない」⇒「できる」**

130条2項は会社の便宜のためのものであり，会社側から名義書換のなされていない株式譲受人を株主として取り扱うことはできる（最判昭30. 10. 20）。

A11　**×　「得る」⇒「得ない」**

正当の事由なくして株式の名義書換請求を拒絶した会社は，その書換のないことを理由としてその譲渡を否認し得ない（大判昭3. 7. 6）。　<16 II -06>

A12　**×　「できない」⇒「できる」**

株主のみならず，会社債権者も，営業時間内であればいつでも株主名簿の閲覧および謄写を求めることができる（125条2項）。　<13 I －06>

Q13 株式会社の債権者は，その権利を行使するため必要があるときに限り，株主名簿の閲覧を求めることができる。

Q14 株主名簿の閲覧又は謄写の請求者が株式会社の業務と実質的に競争関係にある事業を営み，又はこれに従事するものであることは，株主名簿の閲覧又は謄写の請求の拒絶事由である。

Q15 株式会社の親会社社員は，その権利を行使するため必要があるときは，裁判所の許可を得なくとも，当該株式会社の株主名簿の閲覧を請求することができる。

Q16 会社は，一定の日を定めて，その基準となる日に株主名簿に記載又は記録されている株主又は質権者を，その権利を行使すべき株主又は質権者とみなすことができる。

Q17 基準日は，権利行使日の前３箇月以内の日でなければならない。

Q18 基準日株主が行使することができる権利が株主総会における議決権である場合には，株式会社は，当該株式の基準日株主の権利を害しない限り，当該基準日後に株式を取得した者を当該権利を行使することができる者と定めることができる。

A13　**×　「限り」⇒「限らず」**

株主名簿の閲覧・謄写請求権には，株主・会社債権者がその権利を行使するため必要があるときに限るという制限がない（125条2項）。なお，取締役会議事録の閲覧・謄写請求権（371条2項4項）の要件と比較せよ。

<13Ⅰ-06>

A14　**×　「拒絶事由である」⇒「拒絶事由ではない」**

株主名簿の閲覧・謄写の請求の拒絶事由（125条3項1号～4号）に挙げられていない。　<23Ⅰ-06>

A15　**×　「裁判所の許可を得なくとも」**
⇒「裁判所の許可を得て」

125条4項。　<09-04>

A16　**○**

基準日の制度である（124条1項5項）。

A17　**○**

124条2項かっこ書。　<10Ⅰ-06>

A18　**○**

124条4項。　<10Ⅰ-06><22Ⅰ-08><23Ⅰ-06>

3−6 振替株式

Q01 公開会社でない会社でも，振替制度を利用することができる。

Q02 株式の振替制度を利用する株式（振替株式）の譲渡は，振替の申請により，譲受人が自己の口座の保有欄に譲渡株式数の増加の記載又は記録を受けなければ，権利移転の効果が生じない。

Q03 振替株式の譲渡が行われた場合，振替の申請は譲渡人と譲受人が共同で行う。

Q04 振替株式について，口座を開設した者は，その口座における記載又は記録がされた株式についての権利を適法に有する者と推定される。

Q05 譲渡人の振替の申請により，自己の口座において特定の銘柄の振替株式についての増加の記載又は記録を受けた譲受人は，譲渡人が無権利者であっても，そのことにつき悪意又は重過失がない限り，振替株式についての権利を取得する。

A01 × **「できる」⇒「できない」**

振替法128条1項かっこ書。　＜12Ⅰ-07＞＜17Ⅱ-05＞

A02 ○

振替法140条。　＜12Ⅰ-07＞＜14Ⅱ-04＞＜20Ⅱ-06＞

A03 × **「譲渡人と譲受人が共同」⇒「譲渡人が単独」**

振替の申請は，振替により，自己の口座に減少の記載・記録がされる加入者（譲渡人）が，直近上位機関（振替法2条6項，加入者の口座を開設する口座管理機関）に対し，単独で行う（振替法132条2項）。

A04 ○

振替法143条。　＜12Ⅰ-07＞

A05 ○

振替法144条。

Q06 振替機関は，株式の併合がその効力を生ずる日が到来したときは，発行者に対し，当該株式の併合が効力を生ずる日の株主に関する法定の事項を通知しなければならない。

Q07 振替株式についての株主名簿の名義書換は，振替機関から会社に対する総株主通知にしたがって行われる。

Q08 株式振替制度を利用している株式会社の株主は，株主名簿の名義書換が未了であっても，株式会社に対して議決権以外の少数株主権等を行使することができる。

3−7 自己株式・親会社株式の取得規制

Q01 株式会社は，自己の株式を取得した場合には，当該株式を相当の期間内に消却又は処分しなければならない。

A06 ○

振替法151条1項2号。 <14Ⅱ-05>

A07 ○

振替株式についても，株主名簿の名義書換が会社に対する対抗要件になる（振替法161条3項）。この名義書換は，振替機関から会社に対する「総株主通知」（振替法151条1項）にしたがって行われる（振替法151条2項）。

<12Ⅰ-07>

A08 ○

会社法130条1項の規定は適用されず（振替法154条1項），個別株主通知による（振替法154条2項～5項）。

<20Ⅱ-06>

A01 ×「**消却又は処分しなければならない**」

⇒「**消却又は処分する必要はない**」

子会社が保有する親会社株式（135条3項）と異なり，会社は適法に取得した自己株式を保有し続けることができる（178条1項，199条1項参照）。

<11Ⅱ-05><13Ⅱ-06><16Ⅱ-07>

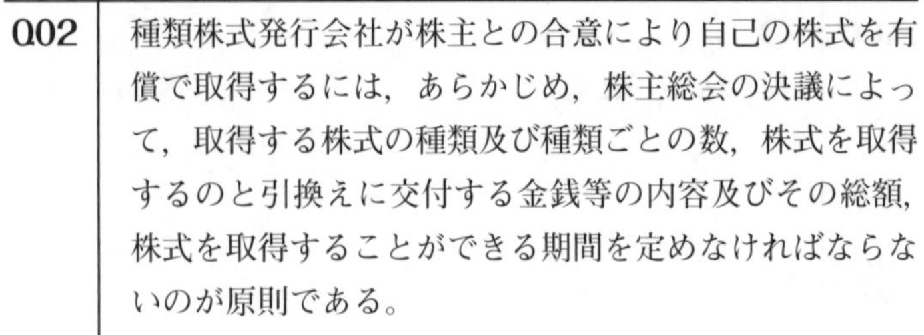

Q02 種類株式発行会社が株主との合意により自己の株式を有償で取得するには，あらかじめ，株主総会の決議によって，取得する株式の種類及び種類ごとの数，株式を取得するのと引換えに交付する金銭等の内容及びその総額，株式を取得することができる期間を定めなければならないのが原則である。

Q03 自己の株式を無償で取得する場合，有償で取得する場合と同様に，株主総会の決議が必要である。

Q04 取締役会設置会社では，株主総会の決議に基づき自己の株式を取得しようとするときは，その都度，取締役会が取得する株式の数や取得価額等の決定をして株主に通知しなければならない。

Q05 会社が特定の株主（子会社を除く。）から自己の株式を買い受ける場合，株主総会の決議は特別決議によらなければならず，原則として取得の相手方となる株主は議決権を行使することができない。

Q06 会社が特定の株主から自己の株式を買い受ける場合，他の株主は，株主総会の議案を特定の株主に自己を加えたものに変更するよう請求することができない。

A02　○

156条1項。なお，459条1項1号に注意。

A03　× 「同様に」「必要である」⇒「異なり」「不要である」

155条13号・会社法施行規則27条1号，156条2項。自己の株式の無償取得は，出資の払戻しになる等の弊害が通常考えにくいので，自由に取得できる。

<07-05><15Ⅰ-04>

A04　○

157条1項2項，158条1項。

A05　○

160条1項4項，309条2項2号。なお，163条参照。

<06-10><07-05><11Ⅱ-05>

A06　× 「できない」⇒「できる」

原則として，売主追加の議案変更請求権がある（160条3項）。換価困難な株式の売却機会の平等を図る趣旨である。例外的に請求できない場合として，161条，162条，163条，164条に注意。

Q07 株式会社がその子会社の有する当該株式会社の株式を取得する場合，取締役（取締役会設置会社にあっては取締役会）が取得に関する事項を決定できる。

Q08 取締役会設置会社は，市場において行う取引又は公開買付けの方法により自己の株式を取得する場合には，取得の決定を株主総会ではなく取締役会の決議によって定めることができる旨を定款で定めることができる。

Q09 取締役会設置会社は，定款で定めれば，譲渡制限株式を相続その他の一般承継により取得した者に対して，取締役会の決議によって，その株式の売渡しを請求することができる。

Q10 株式会社は，その保有する自己株式について剰余金の配当をすることができる。

Q11 会社が自己株式を有する場合には，会社も株主であるから，当然に議決権を行使することができる。

Q12 取締役会設置会社において自己株式を消却するには，株主総会の決議が必要である。

A07　× 「取締役」⇒「株主総会」

取締役会設置会社以外では株主総会決議が必要である（163条）。　＜07-05＞＜11Ⅱ-05＞＜13Ⅱ-06＞＜15Ⅰ-04＞＜23Ⅰ-05＞

A08　○

165条2項。すべての株主が売渡しに参加する機会が与えられるからである。　＜13Ⅱ-06＞＜16Ⅱ-07＞

A09　× 「取締役会」⇒「株主総会」

譲渡制限株式を相続その他の一般承継により取得した者に対して，その株式の売渡しを請求しようとするときは，その都度，株主総会の特別決議によって，一定の事項を定めなければならない（174条，175条1項，309条2項3号）。　＜07-05＞＜11Ⅰ-05＞＜22Ⅰ-06＞

A10　× 「できる」⇒「できない」

453条かっこ書。　＜23Ⅱ-06＞

A11　× 「できる」⇒「できない」

308条2項。　＜10Ⅰ-09＞＜16Ⅱ-10＞

A12　× 「株主総会」⇒「取締役会」

会社は，取締役の決定（取締役会設置会社においては，取締役会の決議）により，自己株式を消却できる（178条2項，348条1項2項）。

＜13Ⅰ-05＞＜13Ⅱ-06＞＜16Ⅱ-07＞＜18Ⅰ-06＞

Q13 子会社は，原則として親会社の株式を取得することはできない。

Q14 子会社の有する親会社の株式については，剰余金の配当をすることができない。

Q15 子会社の有する親会社の株式については，議決権が認められる。

Q16 子会社は，適法に親会社株式を取得した場合でも，相当の時期にその有する親会社株式を処分しなければならない。

3−8 特別支配株主の株式等売渡請求

Q01 特別支配株主の株式等売渡請求における特別支配株主は，会社や会社以外の法人に限られ，自然人は含まれない。

A13　○

135条1項。なお，例外について，135条2項参照。

<12Ⅰ-04><19Ⅱ-05>

A14　× 「できない」⇒「できる」

子会社が有する親会社株式については，453条かっこ書のような規定がない。子会社の少数株主・債権者の利益保護のためにも，認める必要があるからである。

<19Ⅱ-05>

A15　× 「認められる」⇒「認められない」

子会社の議決権行使は，実際上親会社の取締役の意向に沿って行われ，親会社の支配の公正を害する可能性が高いので，議決権は認められない（308条1項かっこ書）。

<10Ⅰ-09><19Ⅱ-05>

A16　○

135条3項。　<19Ⅱ-05>

A01　× 「自然人は含まれない」⇒「自然人も含まれる」

179条1項。

Q02 特別支配株主が株式等売渡請求をするには，対価として交付する金銭の額又はその算定方法や取得が効力を生ずる日などの一定の事項を定めて対象会社に通知し，その承認を得なければならない。

Q03 取締役会設置会社の特別支配株主が株式等売渡請求をしようとするときは，株主総会の決議による承認を受けなければならない。

Q04 株式等売渡請求があった場合には，売渡株主等は，取得日の20日前の日から取得日の前日までの間に，裁判所に対し，その有する売渡株式等の売買価格の決定の申立てをすることができる。

Q05 売渡対価が対象会社の財産の状況に照らして著しく不当である場合であって，売渡株主が不利益を受けるおそれがあるときは，売渡株主は，特別支配株主に対し，株式等売渡請求に係る売渡株式等の全部の取得をやめることを請求することができる。

Q06 株式等売渡請求に係る売渡株式等の全部の取得の無効は，取得日から６箇月以内（対象会社が公開会社でない場合にあっては，当該取得日から１年以内）に，訴えをもってのみ主張することができる。

A02　○

179条の2第1項。179条の3第1項。

A03　**×　「株主総会の決議」⇒「取締役会の決議」**

179条の3第3項。　＜18Ⅰ-06＞＜20Ⅰ-05＞

A04　○

179条の8第1項。

A05　○

179条の7第1項柱書3号。　＜20Ⅰ-05＞＜21-17＞

A06　○

846条の2第1項。　＜20Ⅰ-05＞

3−9 株式の分割・無償割当て・併合

Q01 会社が株式の分割を行うときは，取締役会設置会社においては取締役会の決議，それ以外の会社においては株主総会の普通決議により行う。

Q02 種類株式発行会社が株式の分割をする場合，分割する株式の種類ごとに分割の割合を定めなければならない。

Q03 取締役会設置会社は，株式の分割をしようとするときは，現に２以上の種類の株式を発行している場合を除き，株主総会の決議によらないで，株式の分割の効力発生日の前日の発行可能株式総数に分割の割合を乗じて得た数の範囲内で，発行可能株式総数を増加する定款の変更をすることができる。

Q04 株式の分割により，ある種類の株式の種類株主に損害を及ぼすおそれがあるときは，原則として，種類株主総会の特別決議がなければ，その効力を生じない。

Q05 株式会社は，株主に対して新たに払込みをさせないで当該株式会社の株式の割当てをすることができる。

Q06 取締役会設置会社においては，株式無償割当ては取締役会の決議によって行うことができる。

A01　○

183条2項。

<06-06><10 I -04><13 I -05><17 I -05>

A02　○

183条2項1号かっこ書。　<09-06><10 I -04>

A03　○

184条2項。　<06-06><10 I -04><11 II -07>
<21-04>

A04　○

322条1項2号，324条2項4号。

A05　○

株式無償割当て（185条）。なお，種類株主に対する場合も同様である（185条かっこ書）。

A06　○

186条3項かっこ書。　<13 I -05><17 I -05>

Q07 株式無償割当てでは，同一又は異なる種類の株式を交付することができる。

Q08 株式の分割では会社が保有する自己株式の数も当該分割の割合に応じて増加するが，自己株式に対しては株式無償割当てをすることができない。

Q09 種類株式発行会社でない株式会社が１株に対して２株を割り当てる旨の株式無償割当てをする場合，当該株式会社は，株主総会の決議によらないで，株式無償割当てがその効力を生ずる日における発行可能株式総数を，その日の前日の発行可能株式総数に２を乗じて得た数の範囲内で増加する定款の変更をすることができる。

Q10 株式の分割又は株式無償割当てにより発行済株式の総数が増加しても資本金の額は増加しない。

Q11 株式無償割当ての無効は，訴えによらなければ主張できない。

A07　○

株式の無償割当て（185条）は，株式の発行または自己株式の処分であるから，異なる種類の株式の交付も可能である。 <06-06><09-06><16Ⅰ-05><23Ⅱ-05>

A08　○

自己株式に対し株式無償割当てをすることができない（186条2項）が，株式の分割についてはそのような規定はないので，自己株式も分割の対象となる。

<06-06><09-06><19Ⅰ-06><23Ⅱ-05>

A09　**×　「株式無償割当て」⇒「株式の分割」**

184条2項。 <11Ⅱ-07><21-04>

A10　○

発行済株式（2条31号かっこ書）の総数が増加しても，「払込み・給付」はないから資本金の額は増加しない（445条1項参照）。 <19Ⅰ-06><18Ⅱ-07>

A11　○

828条1項2号3号。

Q12 株式の併合は，株主総会の特別決議によって決定することを要する。

Q13 株式会社は，株式の併合をしようとするときは，その都度，株主総会の決議によって，効力発生日における発行可能株式総数を定めなければならないが，公開会社における発行可能株式総数は，株式の併合がその効力を生ずる日における発行済株式の総数の4倍を超えることができない。

Q14 株式の併合が法令又は定款に違反する場合において，株主が不利益を受けるおそれがあるときであっても，株主は，株式会社に対し，当該株式の併合をやめることを請求することができない。

Q15 株式会社が株式の併合をすることにより株式の数に1株に満たない端数が生ずる場合には，反対株主は，当該株式会社に対し，自己の有する株式のうち1株に満たない端数となるものの全部を公正な価格で買い取ることを請求することができる。

3−10 単元株制度

Q01 単元株制度が採用されている場合には，単元未満株主は，その有する単元未満株式について，株主総会及び種類株主総会において議決権を行使することができない。

A12　○

180条2項柱書，309条2項4号。

＜06-06＞＜09-06＞＜17 I -05＞

A13　○

180条2項4号3項。　＜18 I -06＞＜18 II -07＞＜21-04＞

A14　×　「できない」⇒「できる」

182条の3。　＜18 II -07＞＜21-17＞

A15　○

182条の4第1項。　＜10 I -08＞＜18 II -07＞

A01　○

188条1項，189条1項，308条1項ただし書，325条。

＜06-10＞＜11 I -04＞

Q02 単元株制度を採用するには，定款に単元株式数を定めなければならないが，単元株式数の上限は法務省令で定める数を超えることができない。

Q03 種類株式発行会社においては，単元株式数は，株式の種類ごとに定めなければならない。

Q04 会社成立後に定款を変更して単元株制度を採用する場合には，原則として株主総会の特別決議が必要である。

Q05 単元株式数を定める場合には，取締役は，当該単元株式数を定める定款の変更を目的とする株主総会において，当該単元株式数を定めることを必要とする理由を説明しなければならない。

Q06 単元株式数を減少し又は単元株式数についての定款の定めを廃止する定款変更には，株主総会の特別決議を要する。

Q07 株券発行会社は，定款の定めがあるときに限って，単元未満株式について株券を発行しなければならない。

A02　○

188条1項2項。単元株式数（2条20号）の上限は1,000株および発行済株式の総数の200分の１を超えることができない（188条2項，会社法施行規則34条）。

＜11Ⅰ-07＞

A03　○

188条3項。　＜11Ⅰ-07＞

A04　○

466条，309条2項11号。なお，191条に注意。

＜17Ⅰ-05＞＜19Ⅱ-06＞＜22Ⅱ-05＞

A05　○

190条。　＜11Ⅰ-07＞＜17Ⅰ-05＞＜22Ⅱ-05＞

A06　**×「要する」⇒「要しない」**

株主にとって利益となるので，取締役の決定（取締役会設置会社にあっては，取締役会の決議）で足りる（195条1項）。　＜11Ⅰ-07＞＜13Ⅰ-05＞＜19Ⅱ-06＞

A07　**×「定めがあるときに限って」⇒「定めがない限り」**

会社は，定款をもって単元未満株式について株券を発行しない旨を定めることができる（189条3項）。

＜12Ⅱ-06＞＜18Ⅱ-06＞

Q08 会社は，単元未満株主が当該単元未満株式について残余財産の分配を受ける権利を行使することができない旨を定款で定めることができない。

Q09 単元未満株主が単元未満株式の買取請求をすることができる旨の定款の定めがない限り，単元未満株主は，株式会社に対して，自己の有する単元未満株式を買い取ることを請求することができない。

Q10 会社は，定款をもって，単元未満株主がその有する単元未満株式の数と併せて単元株式数となる数の株式を売り渡すよう会社に対して請求できる旨を定めることができる。

Q11 単元未満株主からの単元未満株式の買取請求に応じて，株式会社が自己の株式を取得し金銭を交付する場合には，交付する金銭の総額は，当該取得が効力を生ずる日における分配可能額を超えてはならない。

Q12 株式会社が，定款を変更して単元株式数を減少し，又は単元株式数についての定款の定めを廃止する場合には，株主総会の特別決議を要する。

A08　○

189条2項5号。なお，剰余金の配当を受ける権利について，189条2項6号，会社法施行規則35条1項7号参照。

<18Ⅱ-06>

A09　× 「できない」⇒「できる」

単元未満株式の買取請求は，定款の定めがなくても認められる（192条1項）。また，定款でも制限できない権利である（189条2項4号）。

<12Ⅱ-06><18Ⅱ-06><19Ⅱ-06><22Ⅱ-05>

A10　○

194条1項。　<19Ⅱ-06>

A11　× 「超えてはならない」⇒「超えてもよい」

単元未満株主からの単元未満株式の買取請求については，財源規制は設けられていない。

<07-05><11Ⅱ-15><18Ⅰ-15><24Ⅱ-13>

A12　× 「株主総会の特別決議」⇒「取締役の決定（取締役会設置会社にあっては，取締役会の決議）」

195条1項。　<11Ⅰ-07><13Ⅰ-05><22Ⅱ-05>

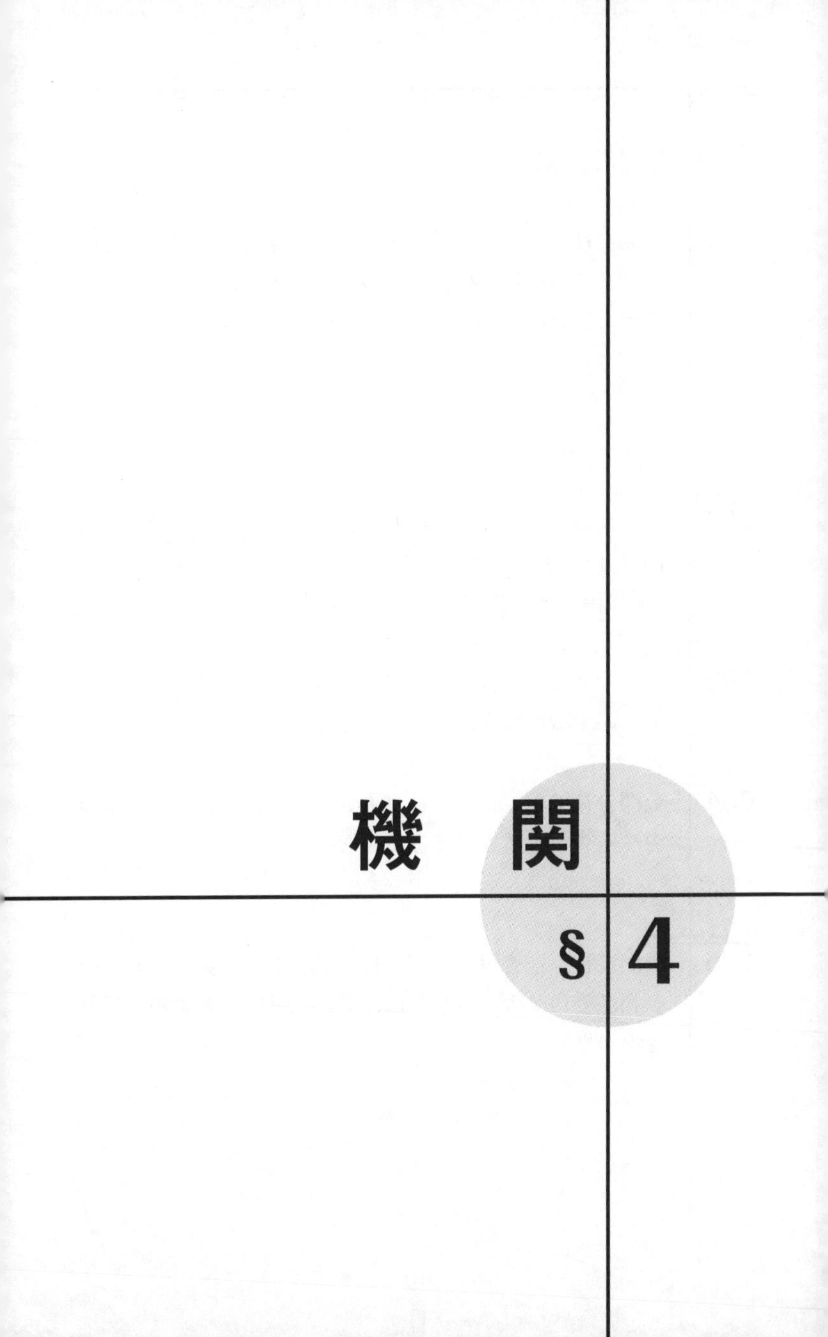
機　関
§ 4

4−1 機関の設計

Q01 公開会社とは，その発行する全部の株式の内容として譲渡による当該株式の取得について株式会社の承認を要する旨の定款の定めを設けていない株式会社をいう。

Q02 最終事業年度に係る貸借対照表に資本金として計上した額が４億円であり，負債の部に計上した額の合計額が200億円である株式会社は，大会社である。

Q03 公開会社でない株式会社には，株主総会以外の機関として，必ず取締役を置かなければならない。

Q04 公開会社でない株式会社が大会社でない場合は，取締役会や監査役を置くことはできない。

Q05 公開会社，監査役会設置会社，監査等委員会設置会社及び指名委員会等設置会社は，常に取締役会を置かなければならない。

A01　×　「全部」⇒「全部又は一部」

株式全部に譲渡制限がないか，または株式の一部に譲渡制限がない株式会社をいう（2条5号）。2条5号の反対解釈として，非公開会社とはその発行する株式の全部に譲渡制限がある株式会社をいう。

＜11Ⅰ-05＞＜13Ⅰ-02＞＜17Ⅱ-05＞

A02　○

2条6号。　＜13Ⅰ-02＞

A03　○

326条1項。　＜15Ⅰ-06＞

A04　×　「できない」⇒「できる」

非公開会社で大会社でない会社も，定款の定めによりあらゆる機関を任意に置くことができる（326条2項）。

A05　○

327条1項。＜06-09＞＜08-07＞＜08-14＞＜13Ⅰ-08＞
＜13Ⅱ-07＞＜15Ⅰ-06＞＜18Ⅱ-09＞＜19Ⅱ-08＞
＜20Ⅰ-07＞＜24Ⅱ-08＞

Q06 会社法の規定により，取締役会を置かなければならない会社は，定款において取締役会を置く旨の定めを設ける必要はない。

Q07 公開会社（監査等委員会設置会社及び指名委員会等設置会社を除く。）は，監査役を置かなければならない。

Q08 取締役会設置会社は，監査等委員会設置会社及び指名委員会等設置会社である場合を除いて，常に監査役を置かなければならない。

Q09 監査等委員会設置会社及び指名委員会等設置会社は，定款の定めにより監査役を置くことができる。

Q10 監査等委員会設置会社及び指名委員会等設置会社は，常に会計監査人を置かなければならない。

Q11 指名委員会等設置会社は，会計参与を置くことができる。

A06　**×　「必要はない」⇒「必要がある」**

株式会社の各機関は，「定款の定めによって」置くこととなっている（326条2項）。　＜06-09＞

A07　**○**

327条1項2項本文。　＜10Ⅰ-08＞＜18Ⅱ-09＞

A08　**×　「常に」⇒「原則として」**

取締役会設置会社（監査等委員会設置会社および指名委員会等設置会社を除く）は，原則として監査役を置かなければならない。ただし，公開会社でない会計参与設置会社は，監査役を置かなくてもよい（327条2項ただし書）。

＜06-09＞＜10Ⅱ-08＞＜13Ⅱ-07＞＜18Ⅰ-08＞

A09　**×　「置くことができる」⇒「置いてはならない」**

327条4項。

＜09-08＞＜16Ⅰ-07＞＜17Ⅰ-08＞＜18Ⅰ-08＞＜20Ⅰ-07＞

A10　**○**

327条5項。

＜08-14＞＜10Ⅱ-08＞＜13Ⅱ-08＞＜16Ⅰ-07＞＜18Ⅱ-09＞＜19Ⅰ-08＞＜19Ⅱ-08＞

A11　**○**

326条2項，404条1項2項，409条1項3項ただし書。

＜08-07＞＜13Ⅱ-07＞＜17Ⅰ-08＞＜18Ⅰ-08＞＜20Ⅰ-07＞

Q12 監査等委員会設置会社及び指名委員会等設置会社を除く公開会社である大会社は，監査役会及び会計監査人を置かなければならない。

Q13 公開会社でない大会社は，会計監査人を置かなくてもよい。

Q14 大会社は，常に会計監査人を置かなければならない。

Q15 監査等委員会設置会社及び指名委員会等設置会社を除く会計監査人設置会社は，監査役を置かなければならない。

Q16 監査役会設置会社（公開会社であるものに限る。）であって金融商品取引法第24条第1項の規定によりその発行する株式について有価証券報告書を内閣総理大臣に提出しなければならないものは，社外取締役を置かなければならない。

A12　○

328条1項。　＜08-07＞＜10Ⅰ-08＞＜15Ⅰ-06＞＜21-10＞

A13　×　**「置かなくてもよい」⇒「置かなければならない」**

328条2項。　＜10Ⅱ-08＞＜13Ⅱ-07＞＜20Ⅱ-08＞＜24Ⅱ-08＞

A14　○

328条1項2項。　＜06-09＞＜08-07＞＜10Ⅱ-08＞＜13Ⅱ-07＞＜15Ⅰ-06＞＜24Ⅱ-08＞

A15　○

327条3項。　＜07-09＞＜11Ⅱ-08＞＜18Ⅱ-09＞

A16　×　**「公開会社であるものに限る」**
⇒「公開会社であり，かつ，大会社であるものに限る」

327条の2。　＜10Ⅱ-08＞＜17Ⅱ-08＞＜23Ⅱ-11＞

4−2 株主総会

1 株主総会の権限・招集

Q01 取締役会設置会社でない株式会社における株主総会は，会社法に規定する事項及び株式会社の組織，運営，管理その他株式会社に関する一切の事項について決議をすることができる。

Q02 取締役会設置会社においては，株主総会は，会社法に規定する事項及び定款で定めた事項に限り，決議をすることができる。

Q03 会社法の規定により株主総会の決議を必要とする事項について，取締役，執行役，取締役会その他の株主総会以外の機関が決定することができることを内容とする定款の定めは，その効力を有しない。

Q04 公開会社でない株式会社は，取締役会を設置した場合でも原則として株主総会の招集通知を書面でする必要はない。

Q05 議決権を有する株主が1,000人未満の取締役会設置会社でない株式会社では，書面投票，電子投票によりうる旨を定めていなければ，招集通知は口頭でも可能であり，又，日時・場所が何らかの方法で通知されていればよく，株主総会の目的である事項を通知する必要もない。

A01　○

295条1項。　<07-09><19Ⅰ-10><22Ⅱ-07>

A02　○

295条2項。　<11Ⅱ-08><15Ⅰ-07><16Ⅱ-09>

A03　○

295条3項。　<15Ⅱ-07>

A04　**×　「必要はない」⇒「必要がある」**

299条2項2号3項。　<07-09><12Ⅰ-08><16Ⅱ-09>
<18Ⅰ-09>

A05　○

299条2項1号4項参照。298条2項，会社法施行規則64条。
<07-09><12Ⅰ-08><16Ⅱ-09><19Ⅰ-10>

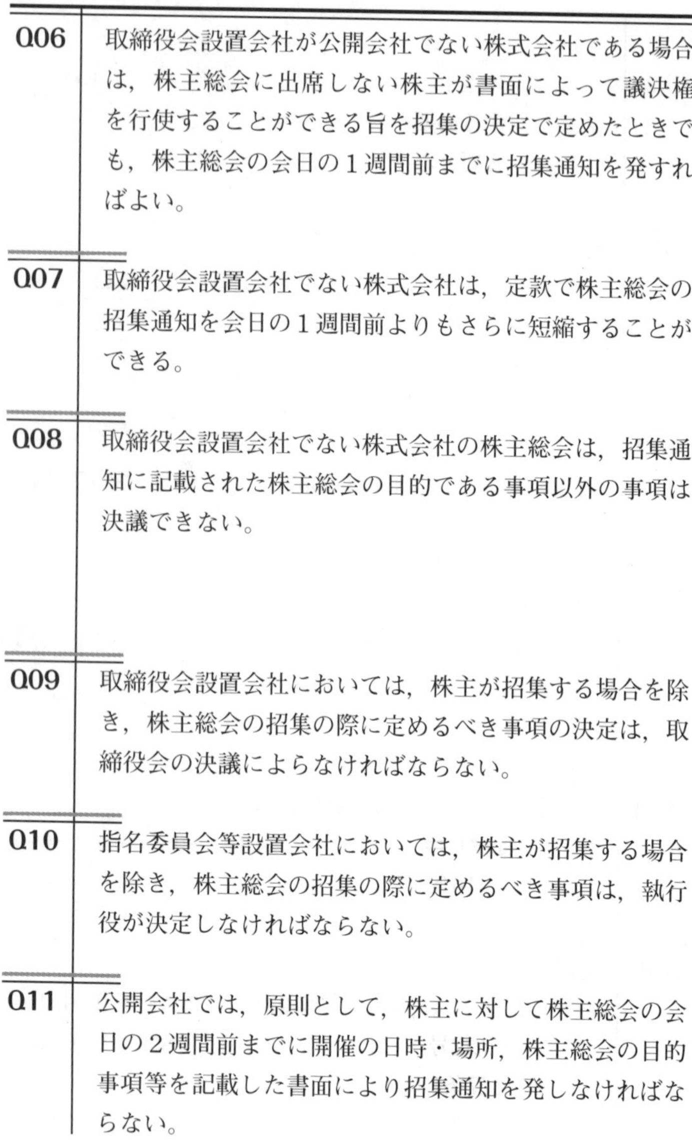

Q06 取締役会設置会社が公開会社でない株式会社である場合は，株主総会に出席しない株主が書面によって議決権を行使することができる旨を招集の決定で定めたときでも，株主総会の会日の1週間前までに招集通知を発すればよい。

Q07 取締役会設置会社でない株式会社は，定款で株主総会の招集通知を会日の1週間前よりもさらに短縮することができる。

Q08 取締役会設置会社でない株式会社の株主総会は，招集通知に記載された株主総会の目的である事項以外の事項は決議できない。

Q09 取締役会設置会社においては，株主が招集する場合を除き，株主総会の招集の際に定めるべき事項の決定は，取締役会の決議によらなければならない。

Q10 指名委員会等設置会社においては，株主が招集する場合を除き，株主総会の招集の際に定めるべき事項は，執行役が決定しなければならない。

Q11 公開会社では，原則として，株主に対して株主総会の会日の2週間前までに開催の日時・場所，株主総会の目的事項等を記載した書面により招集通知を発しなければならない。

A06 **× 「1週間」⇒「2週間」**

書面投票，電子投票によりうる旨を定めたときは考慮期間を確保する必要があるため，原則どおり2週間前の通知発出が必要となる（299条1項かっこ書）。

<12Ⅰ-08><24Ⅰ-09>

A07 **○**

299条1項かっこ書。なお, **A06**参照。

<09-09><15Ⅰ-07><17Ⅱ-09>

A08 **× 「は決議できない」⇒「も決議できる」**

取締役会非設置会社の株主総会は万能の機関であり（295条1項），招集通知に定めた議題（会議の目的）以外についても決議することができる。なお，**Q05**参照のこと。

<12Ⅰ-08><19Ⅰ-10>

A09 **○**

298条4項。なお, 297条参照。

<14Ⅰ-07>

A10 **× 「執行役」⇒「取締役会」**

298条4項, 416条4項4号。

<14Ⅰ-07>

A11 **○**

299条1項2項2号。なお，公開会社は取締役会設置会社である（327条1項1号）。

<07-09><15Ⅱ-06><16Ⅱ-09><18Ⅰ-09>

Q12 取締役会設置会社における株主総会の招集通知については，株主の承諾の有無にかかわらず電磁的方法によって行うことができる。

Q13 株主総会において議決権を行使することができない株主には，株主総会の招集通知を発する必要はない。

Q14 取締役会設置会社の株主総会は，招集通知に記載された株主総会の目的である事項以外の事項は決議できない。

Q15 ６箇月前より総株主の議決権の100分の３以上の議決権を有する株主は，取締役に対して株主総会の目的である事項及び招集の理由を示して招集を請求し，それに応じて招集手続がとられないときは，直ちに株主総会を招集することができる。

Q16 総株主の議決権の100分の１以上，又は300個以上の議決権を６箇月前から引き続き有する公開会社の株主は，一定の事項を株主総会の目的とすることを請求することができる。

A12　**×　「承諾の有無にかかわらず」⇒「承諾を得て」**

299条3項。　＜24Ⅱ-09＞

A13　**○**

299条1項・298条2項かっこ書。　＜17Ⅱ-09＞

＜22Ⅱ-05＞

A14　**○**

309条5項本文。　＜18Ⅰ-13＞＜19Ⅰ-10＞＜22Ⅱ-07＞

A15　**×　「直ちに」⇒「裁判所の許可を得て」**

297条4項柱書。　＜12Ⅱ-08＞＜17Ⅰ-07＞＜17Ⅱ-09＞

＜22Ⅱ-07＞＜24Ⅰ-09＞

A16　**○**

公開会社（＝取締役会設置会社）においては株主提案権は少数株主権である（303条2項，305条1項ただし書）。なお，公開会社でない取締役会設置会社では6箇月前からという継続保有要件は不要である（303条3項，305条2項）。また，取締役会非設置会社では，株主提案権は単独株主権である（303条1項，305条1項本文）。

＜12Ⅰ-08＞＜15Ⅱ-06＞＜16Ⅱ-09＞＜18Ⅰ-09＞

＜19Ⅰ-10＞

Q17 株主が，株主総会において株主総会の目的である事項につき議案を提出するには，当該株主は，１株以上の株式を保有していればよい。

Q18 当該株主総会において議決権を行使することができる株主の議決権の過半数を有する株主が，招集手続の省略に同意した場合には，招集の手続を経ることなく株主総会を開催することができる。

Q19 株主総会に出席しない株主が書面又は電磁的方法によって議決権を行使することができる旨を定めた場合には，株式会社は，株主の全員の同意があったとしても，当該株主総会の招集の手続を省略することができない。

Q20 判例によれば，株主が１人しかいない株式会社の場合には，その１人の株主が出席すれば株主総会は成立し，招集の手続を要しない。

Q21 株主総会においてその延期又は続行について決議があった場合には，取締役は，改めて株主に対して株主総会の招集通知を発しなければならない。

A17　○

公開会社・非公開会社を問わず，議案提案権（304条本文）は単独株主権である。　＜15Ⅱ-06＞＜18Ⅰ-09＞

A18　**×　「議決権の過半数を有する株主」⇒「全株主」**

300条本文。なお，同条ただし書に注意。

＜06-10＞＜12Ⅱ-08＞＜18Ⅰ-09＞

A19　○

300条ただし書。招集通知に際して，株主総会参考書類および議決権行使書面の交付が必要だからである（301条，302条）。　＜24Ⅰ-09＞

A20　○

最判昭46.6.24。　＜24Ⅱ-10＞

A21　**×　「発しなければならない」⇒「発する必要はない」**

317条。　＜09-09＞＜14Ⅰ-07＞＜17Ⅱ-09＞＜22Ⅱ-09＞

2 電子提供制度

Q01 株式会社が，株主総会の招集に際して取締役から株主に提供すべき株主総会参考書類等の内容である情報について，電子提供措置をとるには定款の定めは不要である。

Q02 電子提供措置をとる場合には，株主総会の招集通知を発する必要はない。

Q03 電子提供措置をとる旨の定款の定めがある株式会社においては，取締役は，招集通知に際して，株主に対し，株主総会参考書類等を交付し，又は提供することを要しない。

A01　**×　「定款の定めは不要」⇒「定款の定めが必要」**

株式会社は，電子提供措置をとる旨を定款で定めることができる（325条の2柱書）。電子提供措置は，取締役が株主総会の招集通知に際して株主に提供しなければならない書類（株主参考書類等。325条の2第1号～4号）について，インターネットのウェブサイトに掲載する措置である（会社法施行規則95条の2）。制度の趣旨は，株主総会資料の印刷や郵送にかかる時間を削減し，より早期の情報提供を可能とすることにある。

A02　**×　「必要はない」⇒「必要がある」**

株主総会の２週間前までに，招集通知を発しなければならない（325条の4第1項）。株主総会参考書類等が掲載されたウェブサイトにアクセスできるようにする必要があるからである。招集通知に記載すべき事項は，298条1項1号～4号のほか，電子提供措置をとっている旨やそれにアクセスするための情報に限定されている（325条の4第2項，会社法施行規則95条の3第1項）。

<23Ⅱ−09>

A03　**○**

325条の4第3項。

Q04 電子提供措置をとる旨の定款の定めがある株式会社の株主は，株式会社に対し，電子提供措置事項を記載した書面の交付を請求することができない。

3 議決権

Q01 B社がA社における総株主の議決権の30％を保有し，かつ，A社がB社における総株主の議決権の60％を保有している場合，B社はA社の株主総会において議決権を行使することができるが，A社はB社の株主総会において議決権を行使することはできない。

Q02 株主総会において決議の対象である事項につき特別の利害関係を有する者は，株主であっても議決権を行使することができない。

Q03 公開会社でない株式会社が譲渡承認請求に係る譲渡制限株式を買い取ることとなった場合に，当該買取りをするために必要な株主総会の特別決議において，売主たる株主は，原則として，議決権を行使することができない。

A04　**×　「できない」⇒「できる」**

インターネットを利用することが困難な株主に配慮して，書面交付請求権が認められている（325条の5第1項）。なお，同条の5第4項5項参照。

<23Ⅱ-09><24Ⅱ-09>

A01　**×　（B社につき）「できる」⇒「できない」**

A社もB社も，総株主の議決権の４分の１以上を相互に有しているから，互いに自己の有する相手方会社の株式については議決権を行使することができない（308条1項本文かっこ書）。　<16Ⅱ-10><22Ⅰ-08>

A02　**×　「できない」⇒「できる」**

特別利害関係人である株主も議決権を行使でき，それにより著しく不当な決議がなされた場合に決議取消事由となるだけである（831条1項3号）。　<20Ⅰ-08>

A03　**○**

140条3項。株式の売却機会について株主間の公平を確保するためである。例外については，同条項ただし書参照。160条4項，175条2項も同趣旨である。

Q04 株主は，その有する議決権を統一しないで行使することができるが，当該株主が他人のために株式を有する者でないときは，会社は議決権を統一しないで行使することを拒否することができる。

Q05 取締役会設置会社でない株式会社では，他人のために株式を有する株主は，事前の通知をしなくても議決権の不統一行使ができる。

Q06 判例によれば，代理人を株主に限るという定款の定めは有効である。

Q07 会社法上，株主は，代理人によってその議決権を行使することができるが，株式会社は，株主総会に出席することができる代理人の数を制限することができる。

Q08 株主が代理人に代理権を授与する場合，同一営業年度内のその後の株主総会につき，改めて代理権を授与する必要はない。

Q09 議決権を有する株主の数が1,000人以上の会社にあっては，株主は書面により議決権を行使しなければならない。

A04　○

313条1項3項。　＜06-10＞＜10Ⅰ-10＞

A05　○

313条2項。

＜07-09＞＜10Ⅰ-10＞＜16Ⅱ-10＞＜22Ⅰ-08＞＜22Ⅱ-07＞

A06　○

最判昭43. 11. 1参照。　＜17Ⅰ-09＞＜22Ⅰ-09＞

A07　○

310条1項5項。　＜11Ⅱ-08＞＜17Ⅰ-09＞

A08　**×　「必要はない」⇒「必要がある」**

代理権の授与は，株主総会ごとにしなければならない(310条2項)。　＜17Ⅰ-09＞＜22Ⅱ-08＞

A09　**×　「しなければならない」⇒「することができる」**

議決権を有する株主の数が1,000人以上の会社は，書面投票制度の採用が義務づけられ，株主は書面で議決権を行使することができる（298条2項)。　＜10Ⅰ-10＞

Q10 株主数が1,000人未満の会社は，株主総会に出席しない株主に対して，書面によって議決権を行使する機会を与える必要はない。

4 利益供与の禁止

Q01 株式会社が株主の権利の行使に関する財産上の利益の供与を当該株式会社の子会社の計算においてしたときは，当該利益の供与を受けた者は，これを当該株式会社に返還しなければならない。

Q02 株式会社が特定の株主に対して無償で財産上の利益を供与したときは，当該株式会社は，株主の権利の行使に関し財産上の利益の供与をしたものとみなされる。

Q03 株式会社が特定の株主に対して当該株式会社の計算において財産上の利益の供与をした場合において，当該株式会社の受けた利益が当該財産上の利益に比して著しく少ないときは，当該株式会社は，株主の権利の行使に関し，財産上の利益の供与をしたものと推定される。

A10　○

議決権を有する株主の数が1,000人以上の会社は，書面投票制度の採用が義務づけられている（298条2項)。それ以外の会社が書面投票制度を採用するかは任意である(同条1項3号)。　＜10Ⅰ-10＞＜23Ⅱ-08＞＜24Ⅱ-09＞

A01　×　**「当該株式会社に返還」**

⇒「当該株式会社の子会社に返還」

120条1項3項。

＜14Ⅱ-05＞＜15Ⅱ-04＞＜18Ⅰ-05＞＜24Ⅱ-07＞

A02　×　**「みなされる」⇒「推定される」**

120条2項前段。　＜09-05＞＜11Ⅰ-04＞＜19Ⅰ-05＞＜21-05＞＜24Ⅱ-07＞

A03　○

120条2項後段。　＜09-05＞＜14Ⅱ-05＞

Q04 株式会社の計算においてする株主の権利行使に関する利益の供与に関与した取締役は，その職務を行うにつき注意を怠らなかったことを証明すれば，株式会社に対して供与した利益の価額に相当する額を支払う義務を負わないが，当該利益供与をした取締役は，注意を怠らなかったことを証明しても，支払義務を免れない。

Q05 株主の権利の行使に関してなされた財産上の利益の供与に関する職務を行った取締役が，株式会社に対して供与した利益の価額に相当する額を支払う義務は，総株主の同意によって免除することができる。

Q06 株式会社の株主は，当該会社の計算においてする株主の権利の行使に関する利益の供与を受けた者に対し，当該会社のために，供与された財産上の利益の返還を求める訴えを提起することができない。

5　株主総会の議事・決議

Q01 株主総会の議長は，その命令に従わない者その他当該株主総会の秩序を乱す者を退場させることができる。

Q02 取締役は，株主総会において株主から説明を求められた場合には，その事項が株主総会の目的である事項に関しないものであることを理由に，説明を拒否することはできない。

A04　○

120条４項ただし書。

<09-05><14Ⅱ-05><19Ⅰ-05>

A05　○

120条5項。　<09-05><14Ⅱ-05><19Ⅰ-05>

A06　×　「できない」⇒「できる」

847条1項。　<09-04><19Ⅰ-05><24Ⅱ-07>

A01　○

315条2項。　<11Ⅱ-08><18Ⅰ-10><22Ⅱ-09>

A02　×　「できない」⇒「できる」

314条ただし書。

<06-10><15Ⅱ-08><16Ⅱ-08><18Ⅰ-10>
<23Ⅰ-08><24Ⅱ-09>

Q03 株主総会においては，その決議によって，取締役，会計参与，監査役，監査役会及び会計監査人が当該株主総会に提出し，又は提供した資料を調査する者を選任することができない。

Q04 株主総会の議事については，議事録を作成し，株主総会の日から10年間，当該議事録をその本店に備え置かなければならない。

Q05 株式会社の子会社の株主は，その権利を行使するため必要があるときは，裁判所の許可を得て，当該株式会社の株主総会の議事録の閲覧又は謄写の請求をすることができる。

Q06 判例によれば，株主総会において，討論の過程を通じて議案に対する各株主の賛否の態度が明らかになり，議案の成立に必要な議決権を有する株主が決議に賛成することが明らかになれば，採決を行わなくても決議は成立する。

A03　×　「できない」⇒「できる」

316条1項。なお,309条5項ただし書参照。

＜08-10＞＜11 I -08＞＜15 II -08＞＜16 II -08＞＜22 II -09＞＜24 I -10＞

A04　○

318条1項2項。　＜15 II -08＞＜16 II -08＞

A05　×　「株式会社の子会社の株主」
⇒「株式会社の親会社の株主」

株主総会の議事録の閲覧または謄写の請求をすることができるのは，株主・債権者・親会社社員に限られている(318条4項5項)。

＜14 II -07＞＜15 II -08＞＜16 II -08＞＜19 II -10＞＜22 II -09＞

A06　○

最判昭42. 7. 25。　＜19 I -09＞＜22 I -09＞

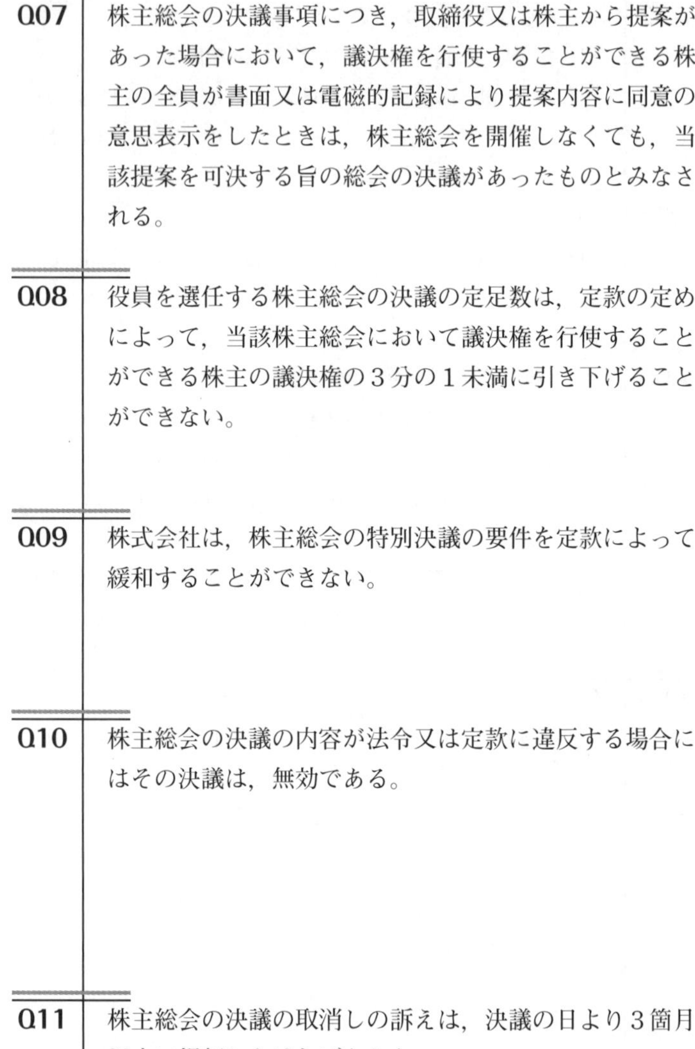

Q07 株主総会の決議事項につき，取締役又は株主から提案があった場合において，議決権を行使することができる株主の全員が書面又は電磁的記録により提案内容に同意の意思表示をしたときは，株主総会を開催しなくても，当該提案を可決する旨の総会の決議があったものとみなされる。

Q08 役員を選任する株主総会の決議の定足数は，定款の定めによって，当該株主総会において議決権を行使することができる株主の議決権の３分の１未満に引き下げることができない。

Q09 株式会社は，株主総会の特別決議の要件を定款によって緩和することができない。

Q10 株主総会の決議の内容が法令又は定款に違反する場合にはその決議は，無効である。

Q11 株主総会の決議の取消しの訴えは，決議の日より３箇月以内に提起しなければならない。

A07 〇

319条1項。なお，同条5項に注意。

<09-09><14Ⅱ-07><18Ⅰ-10><24Ⅰ-09>

A08 〇

329条にいう役員（取締役，会計参与および監査役）の選任・解任決議については，定足数（309条1項）に関する特別の定めがある（341条）。

<08-09><13Ⅱ-09>

A09 × 「できない」⇒「できる」

定足数については，定款で3分の1まで緩和できる（309条2項柱書かっこ書）。

<16Ⅰ-08><18Ⅱ-10><24Ⅱ-10>

A10 × 「法令または定款」⇒「法令」

株主総会の決議の内容が法令に違反する場合には決議は無効であるが（830条2項参照），決議の内容が定款に違反する場合には，決議は当然に無効ではなく決議取消しの訴え（831条1項2号）の対象となるにすぎない。

<18Ⅱ-11><20Ⅰ-09>

A11 〇

831条1項柱書。

<07-10><08-09><13Ⅱ-08><17Ⅰ-10><21-09>

Q12 株式会社の債権者は，訴えをもって当該株式会社の株主総会の決議の取消しを請求することができる。

Q13 株主総会の決議の取消しにより株主となる者は，株主総会の決議の取消しの訴えを提起することができない。

Q14 判例によれば，株主総会の決議の取消しの訴えは，決議の日から３箇月以内に提起しなければならず，期間経過後に新たな取消事由を追加して主張することはできない。

Q15 判例によれば，取締役会設置会社の代表取締役が取締役会決議に基づかないで株主総会を招集し，決議がされた場合には，株主は株主総会の決議の取消しの訴えを提起することができる。

Q16 判例によれば，取締役会設置会社の平取締役が取締役会決議に基づかないで株主総会を招集し，決議がされた場合には，株主は，株主総会の決議の取消しの訴えを提起することができる。

A12　**×「できる」⇒「できない」**

債権者は，提訴権者に入っていない（831条1項柱書・828条2項1号）。

<07-10><13Ⅱ-08><15Ⅱ-07><22Ⅰ-10>

A13　**×「できない」⇒「できる」**

831条1項柱書後段。　<20Ⅰ-09><23Ⅰ-08>

A14　**○**

決議の効力の早期安定という制度趣旨から，３箇月の提訴期間（831条1項柱書）経過後に新たな取消事由の追加主張を認めないのが判例である（最判昭51. 12. 24）。

<17Ⅰ-10><18Ⅱ-11><22Ⅰ-10>

A15　**○**

代表取締役が取締役会決議に基づかないで株主総会を招集した場合には，招集手続の法令違反（298条4項）として株主総会の決議の取消しの訴え（831条1項1号）の対象となる（最判昭46. 3. 18）。　<21-09>

A16　**×「株主総会の決議の取消しの訴え」**
⇒「株主総会の決議の不存在の確認の訴え」

平取締役が取締役会決議に基づかないで株主総会を招集した場合には，株主総会の決議の不存在の確認の訴え（830条1項）の対象となる（最判昭45. 8. 20）。

4

Q17 判例によれば，株主は，他の株主に対する招集手続の瑕疵を理由として，株主総会の決議の取消しの訴えを提起することができない。

Q18 株主総会の決議の取消しの訴えにおいて，株主総会招集の手続又はその決議の方法に性質，程度から見て重大な瑕疵がある場合であっても，その瑕疵が決議の結果に影響を及ぼさないと認められるときは，裁判所は，決議取消請求を棄却することができる。

Q19 株主総会の決議の無効の確認の訴え，株主総会の決議の不存在の確認の訴え及び責任追及等の訴えについては，提訴期間の定めがない。

Q20 株主総会の決議に関して，決議の取消しの訴え，決議の無効確認の訴え及び決議の不存在の確認の訴えの３種類の訴えが認められており，いずれの場合も利害関係があれば誰でも訴えを提起することができる。

Q21 株主総会の決議の取消しの訴え，株主総会の決議の不存在の確認の訴え及び株主総会の決議の無効の確認の訴えに係る請求を認容する確定判決は，第三者に対しても効力を有する。

A17　**×　「できない」⇒「できる」**

株主総会の決議の取消しの訴えは，法令・定款を遵守した会社運営を求める訴訟であることを理由に，肯定するのが判例である（最判昭42. 9. 28)。

<15Ⅱ-07><18Ⅱ-11><19Ⅰ-09><23Ⅱ-10>

A18　**×　「重大な瑕疵がある場合であっても」**
⇒「瑕疵があっても，違反する事実が重大でなく」

裁量棄却が認められるのは，①招集手続または決議の方法が法令または定款に違反するときで（831条1項1号前段），裁判所が，②その違反する事実が重大でなく，かつ，③決議に影響を及ぼさないと認めるときである(831条2項)。　<07-10><13Ⅱ-08><17Ⅱ-10>
<21-09><22Ⅰ-10>

A19　**○**

830条，847条参照。　<17Ⅱ-10>

A20　**×　「いずれの場合も」⇒「決議取消しの訴え以外は」**

総会の決議の無効・不存在の確認の訴えと異なり，総会の決議の取消しの訴えの提訴権者は，限られている（831条1項柱書)。　<16Ⅰ-08><17Ⅱ-10><24Ⅰ-10>

A21　**○**

838条。　<07-10><13Ⅱ-08><17Ⅰ-10>

Q22 株主総会の決議の取消しの訴えに係る請求を認容する判決が確定したときは，当該決議は，当該決議の時に遡って，その効力を失う。

4−3 種類株主総会

Q01 株式の併合又は株式の分割により，ある種類の株式の種類株主に損害を及ぼすおそれがあるときは，原則として，当該行為は，当該種類の株式の種類株主を構成員とする種類株主総会の決議がなければ，その効力を生じない。

Q02 A種類株式は，B種類株式に先んじて一定額の剰余金の配当を受ける非参加的優先株式であり，A種類株式とB種類株式は，それ以外の点では内容に違いはないところ，B種類株式のみ１株を２株に分割する場合，原則として，A種類株式の種類株主を構成員とする種類株主総会の決議が必要である。

Q03 種類株式発行会社が，ある種類の株式の種類株主に損害を及ぼすおそれがある一定の行為をする場合，当該種類の株式の種類株主を構成員とする種類株主総会の決議が必要であるが，ある種類の株式の内容として種類株主総会の決議を要しない旨を定款で定めることができる。

A22　○

839条かっこ書。

<13Ⅱ-08><17Ⅰ-10><18Ⅱ-11><22Ⅰ-10>

A01　○

322条1項2号。なお，当該種類株主に係る株式の種類が２以上ある場合にあっては，当該２以上の株式の種類別に区分された種類株主を構成員とする各種類株主総会の決議を要する（322条1項かっこ書）。

<08-08><11Ⅱ-07>

A02　○

A種類株主の議決権比率が低下するおそれがあるので，A種類株主総会の決議が必要（322条1項柱書，322条1項2号）。なお，322条2項3項参照。　<08-08>

A03　○

322条2項。322条3項ただし書に注意。

<15Ⅱ-05><18Ⅱ-10>

Q04 種類株式発行会社がある種類の株式の内容として，譲渡による当該種類株式の取得について当該株式会社の承認を要する旨の定款の定めを設ける場合には，当該種類の株式の種類株主を構成員とする種類株主総会の決議がなくても，その効力を生ずる。

4-4 取締役・取締役会・代表取締役

1 取締役・取締役会

Q01 法人は，株式会社を設立する発起人になることはできるが，取締役になることはできない。

Q02 公開会社においては，定款によって取締役の資格を株主に限定することができない。

Q03 役員（取締役，会計参与及び監査役をいう。）及び会計監査人は，株主総会の普通決議によって選任する。

A04　×　「生ずる」⇒「生じない」

111条2項。決議要件につき，324条3項1号参照。

＜23Ⅰ-10＞

A01　○

発起人の資格に制限はないが，取締役の資格には制限がある（331条1項1号）。　＜06-11＞＜08-11＞

A02　○

広く有能な人材を得るため，公開会社では，取締役が株主でなければならない旨を定款で定めることができない（331条2項本文）。公開会社ではない会社では，被選資格を株主に制限してもよい（同条同項ただし書）。

＜06-11＞＜07-11＞＜13Ⅰ-12＞＜17Ⅱ-08＞
＜24Ⅱ-11＞

A03　○

329条1項，341条，309条1項。　＜20Ⅱ-09＞

Q04 取締役の任期は，選任後２年以内に終了する事業年度のうち最終のものに関する定時株主総会の終結の時までであるが，公開会社でない株式会社は，定款によって，取締役の任期を選任後10年以内に終了する事業年度のうち最終のものに関する定時株主総会の終結の時まで伸長することができる。

Q05 指名委員会等設置会社でない株式会社が指名委員会等を置く旨の定款の変更を行った場合には，当該株式会社の取締役の任期は，当該定款の変更を行った事業年度の終結の時に満了する。

Q06 その発行する株式の全部の内容として譲渡による当該株式の取得について当該株式会社の承認を要する旨の定款の定めを廃止する定款の変更（監査等委員会設置会社及び指名委員会等設置会社がするものを除く。）をした場合，取締役の任期は，当該効力が生じた時に満了する。

Q07 取締役選任決議について累積投票を排除することは，株式会社の定款に基づかなくても有効にすることができる。

A04　○

332条1項2項。なお，非公開会社であっても監査等委員会設置会社および指名委員会等設置会社の場合は任期を伸長できない（332条2項かっこ書）。

<12 I -09><24 II -13>

A05　× **「当該定款の変更を行った事業年度の終結の時」**
⇒「当該定款の変更の効力が生じた時」

332条7項1号。なお, 332条1項6項参照。　<15 I -08>

A06　○

332条7項3号。　<15 I -08>

A07　× **「定款に基づかなくても」⇒「定款に基づけば」**

取締役の選任に関する累積投票制度は，定款によらなければ排除することができない（342条1項）。

Q08 取締役を解任するためには，その取締役が累積投票によって選任されたか否かにかかわらず，株主総会の特別決議を必要とする。

Q09 公開会社において，取締役の職務の執行に関し重大な法令違反があるときは，６箇月前より引き続き総株主の議決権の100分の３以上を有する株主は，直ちに裁判所に取締役の解任を請求することができる。

Q10 取締役会設置会社でない株式会社では，原則として，各取締役が会社の業務を執行し，会社を代表する。

Q11 取締役会設置会社でない株式会社に取締役が２人以上いるときは，原則としてその過半数で業務を決定するが，支配人の選任及び解任の決定については，各取締役に委任することができる。

A08

×　「累積投票によって選任されたか否かにかかわらず」
⇒「累積投票によって選任された場合」

株主総会は，その普通決議で（341条参照），いつでも理由を問わず取締役を解任できる（339条1項）。ただし，累積投票によって選任された取締役・監査等委員である取締役の解任は，株主総会の特別決議によらなければならない（342条6項, 344条の2第3項, 309条2項7号）。
<06-11><11Ⅱ-12><13Ⅱ-09><17Ⅱ-11><18Ⅱ-13>
<23Ⅱ-11>

A09

×　「直ちに」⇒「解任する旨の議案が否決された場合」

少数株主による取締役解任請求は，株主総会において取締役を解任する旨の議案が否決された場合にすることができる（854条1項）。<08-11><11Ⅱ-12><22Ⅰ-13>

A10

○

348条1項，349条1項。

A11

×　「できる」⇒「できない」

取締役が２人以上いるときは，業務執行に関する意思の統一が図られる事が望ましいので，原則として，過半数で業務を決定する（348条2項）。この場合，支配人（10条参照）の選任・解任等の決定を，各取締役に委任することはできない（348条3項1号）。

Q12 株式会社（指名委員会等設置会社を除く。）が社外取締役を置いている場合において，当該株式会社と取締役との利益が相反する状況にあるとき，その他取締役が当該株式会社の業務を執行することにより株主の利益を損なうおそれがあるときは，当該株式会社は，その都度，取締役の決定（取締役会設置会社にあっては，取締役会の決議）によって，当該株式会社の業務を執行することを社外取締役に委託することができる。

Q13 取締役会は，３箇月に１回以上開催されなければならない。

Q14 取締役会は，原則として各取締役が招集する。

Q15 取締役会設置会社（監査役設置会社，監査等委員会設置会社及び指名委員会等設置会社を除く。）の株主は，取締役が当該会社の目的の範囲外の行為その他法令若しくは定款に違反する行為をし，又はこれらの行為をするおそれがあると認めるときは，取締役会の招集を請求することができる。

Q16 取締役会は取締役が招集するのが原則であるが，監査役設置会社においては，監査役も，一定の場合には取締役会を招集することができる。

A12　○

348条の2第1項。なお，委託を受けて社外取締役が行った業務の執行は，業務執行取締役の指揮命令を受けて行った場合を除き,2条15号イに規定する株式会社の業務の執行に該当しない（348条の2第3項）。

＜23Ⅱ-11＞

A13　○

363条2項, 417条4項。

＜12Ⅱ-10＞＜15Ⅰ-09＞＜17Ⅱ-11＞＜19Ⅱ-11＞

A14　○

366条1項本文。　　＜06-14＞＜14Ⅰ-08＞＜18Ⅰ-13＞

A15　○

367条1項。取締役会設置会社の株主であっても，監査役設置会社，監査等委員会設置会社および指名委員会等設置会社である場合には招集を請求できない点に注意（367条1項かっこ書）。これらの場合につき，383条2項, 399条の14，417条1項参照。

＜11Ⅱ-09＞＜22Ⅱ-04＞＜23Ⅱ-13＞

A16　○

383条2項3項。　　＜22Ⅱ-12＞

Q17 取締役会は，取締役の全員の同意があるときは，招集の手続を経ることなく開催することができる。

Q18 招集通知は，取締役会設置会社における株主総会については書面又は電磁的方法によって行う必要があるが，取締役会については口頭で行うことができる。

Q19 取締役会の決議について特別の利害関係を有する取締役は，議決に加わることができない。

Q20 判例によれば，代表取締役の解職に関する取締役会の決議においては，当該代表取締役は，特別の利害関係を有する取締役に当たらず，当該取締役会において議決権を行使することができる。

Q21 取締役会では，その招集通知にあらかじめ会議の目的たる事項として掲げられていない事項について決議することができない。

A17　○

368条2項。なお，監査役設置会社にあっては，取締役および監査役の同意を要する。

<11Ⅱ-09><14Ⅰ-08><14Ⅱ-09><17Ⅱ-11>
<23Ⅱ-13>

A18　○

299条2項3項と368条1項を比較すること。

<11Ⅱ-09><16Ⅰ-09><17Ⅱ-11><24Ⅰ-12>

A19　○

369条2項。　<16Ⅰ-09>

A20　×　「できる」⇒「できない」

代表取締役の解任が議題となっている取締役会においては，その代表取締役は特別利害関係人に該当し議決権を行使できない（369条2項，最判昭44. 3. 28）。

<24Ⅰ-12>

A21　×　「できない」⇒「できる」

取締役会では，業務執行に関する諸般の事項が付議されるのは当然のことであるから，通知された議題に拘束されることなく，いかなる事項についても決議することができる。なお，309条5項本文参照。

<06-14><18Ⅰ-13>

Q22 取締役会は，法令及び定款で株主総会の決議事項とされた事項を除き，会社の業務執行すべてについて決定する権限を有する。

Q23 取締役が取締役会の決議の目的である事項について提案をした場合において，当該提案につき取締役（当該事項につき議決に加わることができるものに限る。）及び監査役の全員が書面又は電磁的記録により同意の意思表示をしたときは，当該提案を可決する旨の取締役会の決議があったものとみなされる。

Q24 監査役設置会社における株主は，その権利を行使するため必要があるときは，裁判所の許可を得て取締役会の議事録を閲覧することができる。

Q25 株式会社の債権者は，取締役の責任を追及するため必要があるときは，裁判所の許可を得て取締役会の議事録の閲覧を求めることができる。

Q26 代表権のない取締役も，取締役会の決議により，会社業務を執行することができる。

Q27 取締役会は，会社の業務執行の決定について代表取締役及び一部の取締役に権限を委譲することができるが，重要な業務執行については取締役会が決定しなければならない。

A22　○

295条3項，362条2項1号。

A23　× 「みなされる」

⇒「みなす旨を定款で定めることができる」

370条。なお，株主総会の場合と異なって（319条1項参照），370条が定款の定めを要求したのは，取締役会の決議の省略を認めるかどうかは会社経営の基本的事項であるので，株主の意思を尊重すべきだからである。

＜06-14＞＜14Ⅱ-09＞＜19Ⅱ-11＞＜23Ⅱ-13＞

A24　○

371条3項。

A25　○

371条4項。　＜14Ⅰ-08＞＜24Ⅰ-12＞

A26　○

363条1項2号。

A27　○

362条4項。　＜16Ⅰ-09＞

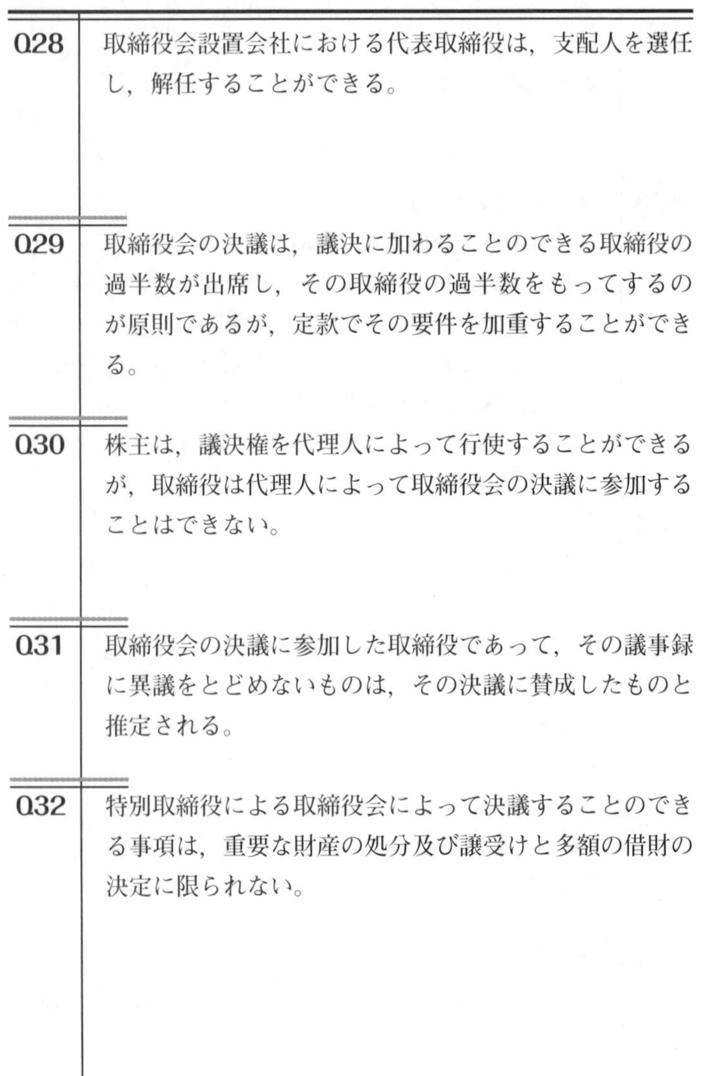

Q28 取締役会設置会社における代表取締役は，支配人を選任し，解任することができる。

Q29 取締役会の決議は，議決に加わることのできる取締役の過半数が出席し，その取締役の過半数をもってするのが原則であるが，定款でその要件を加重することができる。

Q30 株主は，議決権を代理人によって行使することができるが，取締役は代理人によって取締役会の決議に参加することはできない。

Q31 取締役会の決議に参加した取締役であって，その議事録に異議をとどめないものは，その決議に賛成したものと推定される。

Q32 特別取締役による取締役会によって決議することのできる事項は，重要な財産の処分及び譲受けと多額の借財の決定に限られない。

A28　×　「できる」⇒「できない」

支配人その他の重要な使用人の選任・解任は，取締役会の専決事項である（362条4項3号）。

<13Ⅰ-09><20Ⅰ-10>

A29　○

369条1項。　<14Ⅱ-09>

A30　○

株主については310条1項。他方，取締役は，個人的信頼に基づき選任され，１人１議決権が認められるので，議決権の代理行使は認められない。

A31　○

369条5項。　<14Ⅰ-08><20Ⅱ-10>

A32　×　「限られない」⇒「限られる」

特別取締役によって決議することのできる事項は，重要な財産の処分・譲受けと多額の借財の決定だけである（373条1項柱書・362条4項1号2号）。

<10Ⅱ-09><15Ⅰ-09><17Ⅰ-11>

Q33 特別取締役による取締役会決議を行うには，取締役の数が6人以上であること，及び社外取締役が1人以上いる取締役会設置会社である必要がある。

Q34 指名委員会等設置会社では，特別取締役による取締役会決議を行うことができない。

Q35 特別取締役の互選によって定められた者は，特別取締役による取締役会の決議後，遅滞なく，当該決議の内容を特別取締役以外の取締役に報告しなければならない。

Q36 過去に当該株式会社又はその子会社の業務執行取締役若しくは執行役又は支配人その他の使用人となったことがある者は，当該株式会社の社外取締役になることができない。

Q37 社外取締役となるには，その就任の前10年内のいずれかの時において当該株式会社又はその子会社の取締役，会計参与（会計参与が法人であるときは，その職務を行うべき社員）又は監査役であったことがある者（業務執行取締役等であったことがあるものを除く。）にあっては，当該取締役，会計参与又は監査役への就任の前10年間当該株式会社又はその子会社の業務執行取締役等であったことがないことが必要である。

A33　○

373条1項。なお，指名委員会等設置会社・監査等委員会設置会社については，373条1項柱書かっこ書参照。

＜10Ⅱ-09＞＜15Ⅱ-08＞＜17Ⅰ-11＞＜24Ⅱ-11＞

A34　○

373条1項第1かっこ書。なお，監査等委員会設置会社については，373条1項第2かっこ書参照。

＜17Ⅰ-11＞＜10Ⅱ-09＞＜22Ⅱ-11＞

A35　○

373条3項。　＜10Ⅱ-09＞＜12Ⅱ-10＞＜15Ⅱ-08＞＜22Ⅱ-11＞

A36　× **「過去に」⇒「その就任の前10年間」**

平成26年改正法は，社外取締役の要件について，「過去に」を「その就任の前10年間」と改正した（2条15号イ）。

＜14Ⅱ-ア＞＜18Ⅱ-13＞

A37　○

2条15号ロ。

Q38 社外取締役となるには，当該株式会社の親会社等（自然人であるものに限る。）又は親会社等の取締役若しくは執行役若しくは支配人その他の使用人でないことが必要である。

Q39 社外取締役となるには，当該株式会社の親会社等の子会社等（当該株式会社及びその子会社を除く。）の業務執行取締役等でないことが必要である。

Q40 社外取締役となるには，当該株式会社の取締役若しくは執行役若しくは支配人その他の重要な使用人又は親会社等（自然人であるものに限る。）の配偶者又は２親等内の親族でないことが必要である。

2 代表取締役

Q01 取締役会設置会社でない株式会社は，株主総会の決議によって，取締役の中から代表取締役を定めなければならない。

A38　○

2条15号ハ。なお，親会社等の意義について，2条4号の2参照。　＜16Ⅱ-11＞＜18Ⅱ-13＞

A39　○

2条15号ニ。当該株式会社の親会社等の子会社等（当該株式会社及びその子会社を除く。）とは，同じ親会社等の子会社等，つまり兄弟会社を意味する。兄弟会社の業務執行取締役等は，親会社の指揮・監督を受ける立場にあるので，兄弟会社の社外取締役になれない。なお，子会社等の意義について，2条3号の2参照。　＜14Ⅱ-08＞

A40　○

2条15号ホ。

A01　**×　「定めなければならない」⇒「定めることができる」**

取締役会非設置会社において，取締役が２人以上ある場合，取締役は各自株式会社を代表する（349条2項）のが原則であるが，定款，定款の定めに基づく取締役の互選または株主総会の決議によって，取締役の中から「代表取締役」を定めることができる（同条3項）。

＜07-11＞＜09-10＞＜14Ⅱ-08＞＜20Ⅰ-10＞

Q02	代表取締役を解職する取締役会の決議は，解職につき正当な事由がなくとも，これをすることができる。
Q03	株式会社の代表取締役は，取締役の地位を喪失すれば代表取締役の地位も失う。
Q04	会社の唯一の代表取締役の任期が満了しても，新たな代表取締役の選定がなされない限り，その代表取締役は引続き会社を代表して業務を執行する。
Q05	代表取締役の解職により，株式会社の代表取締役が欠けた場合には，新たに選定された代表取締役が就任するまで，解職された当該代表取締役は，なお代表取締役としての権利義務を有する。
Q06	会社が定款により代表取締役の代表権を制限した場合，その制限を，善意の第三者に対しても対抗できる。
Q07	判例によれば，株式会社の代表取締役が，取締役会の承認を受けることなく重要な財産を処分した場合でも，当該処分行為は原則として有効であるが，相手方が取締役会決議を経ていないことを知り又は知りうべきときは無効である。

A02　○

362条2項3号。　<18Ⅰ-13>

A03　○

代表取締役は取締役の中から選定される（349条3項，362条3項）ので，代表取締役が取締役の地位を失えば，当然代表取締役でもなくなる。

A04　○

351条1項。　<24Ⅰ-11>

A05　×　**「解職により」⇒「任期の満了又は辞任により」**

「解職された」⇒「任期の満了又は辞任により退任した」

351条1項。　<13Ⅰ-09><20Ⅰ-10>

A06　×　**「対抗できる」⇒「対抗できない」**

代表取締役の代表権は，会社の営業に関する一切の裁判上・裁判外の行為に及ぶ包括的なものであり（349条4項），これを制限しても善意の第三者には対抗できない（349条5項）。　<13Ⅰ-09><14Ⅱ-08><24Ⅰ-11>

A07　○

最判昭40. 9. 22。

Q08 判例によれば，代表取締役が自己の利益のため表面上会社の代表者として法律行為をなした場合，相手方がその代表取締役の真意を知り又は知ることができたときは，その法律行為は効力を生じない。

Q09 判例によれば，会社の使用人が，代表取締役の承認のもとに株式会社を代表する権限を有するものと認められる名称を使用してなした行為については，会社法354条の表見代表取締役の規定が類推適用される余地はない。

Q10 判例によれば，表見代表取締役に関する規定によって第三者が保護されるには，善意であれば足りる。

3 取締役と会社との関係

Q01 判例によれば，取締役会設置会社の取締役は，代表取締役と異なり，他の代表取締役や取締役の行為が法令及び定款を遵守し，適法かつ適正になされているかを監視する義務を負う。

Q02 取締役会設置会社の取締役が第三者のために会社の事業の部類に属する取引を行うためには，取締役会の承認を要しない。

A08　○

最判昭38.9.5。なお，民法107条参照。

A09　× 「余地はない」⇒「余地がある」

会社の使用人が，代表取締役の承認のもとに代表取締役の名称を使用してなした行為についても，354条の表見代表取締役の規定が類推適用される余地がある（最判昭35.10.14）。

A10　× 「善意であれば足りる」
⇒「善意で無重過失でなければならない」

第三者に重大な過失があるときは，悪意の場合と同視して，会社の責任は否定される（最判昭52.10.14）。

A01　× 「代表取締役と異なり」⇒「代表取締役と同様」

取締役や代表取締役は，取締役会の構成員として，他の取締役や代表取締役の行為について監視する義務を負っている（最判昭48.5.22，最判昭55.3.18等参照）。

A02　× 「要しない」⇒「要する」

取締役の競業行為については，それが自己のため か第三者のためかを問わず，取締役会の承認が必要である（365条1項・356条1項1号）。　<12Ⅰ-10>

Q03	甲が，A会社の代表権のない取締役とB会社の代表取締役を兼任している場合に（A会社及びB会社ともに取締役会設置会社である。），甲がB会社を代表してA会社と取引をするときは，B会社の取締役会の承認が必要であるが，A会社の取締役会の承認は必要はない。
Q04	取締役会設置会社の取締役が行う競業取引は，取締役会の承認がなければ無効である。
Q05	取締役会設置会社においては，承認を受けたかどうかにかかわらず，自己又は第三者のために会社の事業の部類に属する取引を行った取締役は，遅滞なくその取引につき重要な事実を取締役会に報告しなければならない。
Q06	監査役設置会社でも取締役会設置会社でもない株式会社において，代表取締役が当該会社に対して訴えを提起する場合には，株主総会は，当該訴えについて当該会社を代表する者を定めることができる。
Q07	判例によれば，取締役会設置会社において，会社が取締役に金銭を貸し付ける契約は，取締役会の承認がなければ無効である。
Q08	判例によれば，株主が１人しかいない取締役会設置会社において，その１人の株主である取締役が会社に自己所有の土地を売却する場合，取締役会の承認を要しない。

A03 × **「B会社…必要である」「A会社…必要はない」**
⇒「A会社…必要である」「B会社…必要はない」

A会社の取締役甲が第三者（B会社）のためにA会社と取引を行う場合にあたり，A会社の取締役会の承認が必要である（365条1項・356条1項2号）。

<06-12><16Ⅱ-12>

A04 × **「無効」⇒「有効」**

有効と解されている（423条2項参照）。

<06-12><22Ⅰ-11>

A05 ○

365条2項。 <24Ⅰ-12>

A06 ○

353条。なお，364条，386条参照。 <14Ⅱ-08>

A07 ○

最判昭43. 12. 25。 <06-12><16Ⅱ-12>

A08 ○

最判昭45. 8. 20。

Q09 判例によれば，取締役会設置会社において，会社と取締役が取引をする場合には，株主全員の同意があるときでも取締役会の承認を必要とする。

Q10 判例によれば，取締役会設置会社において，会社とその会社の取締役との間の利益相反取引について，取締役会の承認が必要なのにそれを欠いた場合，その取引は無効であるが，会社が第三者に無効を主張するには，その者の悪意を立証しなければならない。

Q11 判例によれば，取締役会設置会社において，会社が取締役の個人債務を保証する行為について取締役会の承認がないときは，会社は保証契約の相手方である債権者に対しては，常に保証債務の無効を主張して保証債務の履行を拒否することができる。

Q12 取締役会設置会社の取締役は，競業取引又は利益相反取引を行うに際して事前に取締役会の承認を得たときであっても，会社に対する損害賠償責任を負う場合がある。

Q13 取締役が自己のために会社と利益相反取引をした場合（直接取引）には無過失責任を負い，責任の軽減も認められない。

A09　**×　「必要とする」⇒「必要としない」**

取締役の利益相反取引について株主全員の同意があるときは取締役会の承認が不要となる（最判昭49. 9. 26）。

A10　**○**

最判昭43. 12. 25，最判昭46. 10. 13。なお，取締役会非設置会社では株主総会の承認が問題となる。また，悪意とは①当該取引が利益相反取引に該当すること，および②取締役会の承認がないことを知っていることをいう。

A11　**×　「常に」⇒「悪意を立証して」**

株式会社が取締役会決議を経ないで取締役の第三者に対する債務につき保証をしたときは，相手方の悪意を主張・立証してはじめて，その無効を主張することができる（最判昭43. 12. 25）。　<06-12><16Ⅱ-12>

A12　**○**

任務違反があれば，責任を負う（423条1項）。なお，423条3項参照。　<06-12>

A13　**○**

428条1項2項。

<12Ⅰ-10><19Ⅰ-12><19Ⅱ-12><22Ⅰ-11>
<23Ⅰ-12>

Q14 判例によれば，株式会社（指名委員会等設置会社を除く。）の取締役の報酬のうち額が確定しているものについて，定款又は株主総会の決議では，個別の報酬額を定める必要はなく，全員に対する総額の最高限度額のみを定めればよい。

Q15 報酬等のうち額が確定しているものについて，その額を定め，又はこれを改定する議案を株主総会に提出した取締役は，当該株主総会において，当該事項を相当とする理由を説明する必要はない。

Q16 判例によれば，株式会社の退任取締役の退職慰労金も取締役の報酬として会社法361条の適用を受けるから，その額が定款で定められていない限り，具体的な金額を株主総会の決議で定めなければならない。

Q17 判例によれば，株式会社の使用人兼務取締役について，別に使用人として給与を受けることを予定しつつ，取締役として受ける報酬額のみを株主総会で決議することも許される。

Q18 判例によれば，株式会社の定款又は株主総会の決議によって取締役の報酬が具体的に定められた場合でも，株主総会が当該取締役の報酬を無報酬とする旨の決議があれば，当該取締役は，これに同意しなくとも，報酬請求権を失う。

A14 ○

最判昭60. 3. 26。 <08-13>

A15 × 「説明する必要はない」⇒「説明する必要がある」

361条4項。

A16 × 「具体的な金額」⇒「支給基準」

退任取締役の退職慰労金についても，お手盛り防止の観点から，361条の適用はある。もっとも，明示的もしくは黙示的に支給基準を株主総会の決議で示し，具体的な金額の決定は取締役会に任せることは許される（最判昭48. 11. 26）。 <08-13>

A17 ○

最判昭60. 3. 26。

A18 × 「失う」⇒「失わない」

定款または株主総会の決議によって取締役の報酬が具体的に定められた場合，株主総会において当該取締役の報酬を無報酬とする旨の決議があっても，当該取締役は，これに同意しなければ報酬請求権を失わない（最判平4. 12. 18）。 <08-13>

Q19 取締役会設置会社において，取締役が，取締役会の承認を受けずに自己又は第三者のために株式会社の事業の部類に属する取引をしたときは，会社に対し，これによって生じた損害を賠償する責任を負い，当該取引によって取締役又は第三者が得た利益の額は，当該損害の額と推定される。

Q20 監査等委員会設置会社における代表取締役が，自己のために株式会社とする取引につき，取締役会の承認に加え，監査等委員会の承認を受けたときは，当該取引によって当該株式会社に生じた損害の賠償責任につき，当該代表取締役は，その任務を怠ったものと推定されることはない。

Q21 取締役会設置会社における利益相反取引に関する取締役会の承認決議に賛成した取締役は，当然にその行為を行ったものとみなされる。

Q22 指名委員会等設置会社と執行役との利益が相反する取引に関する取締役会の承認の決議に賛成した取締役は，当該取引によって会社に損害が生じたときは，その任務を怠ったものと推定される。

A19　〇

423条2項。　<07-11><12Ⅰ-10><16Ⅱ-12><19Ⅱ-12><22Ⅰ-11>

A20　〇

423条3項4項。

<07-11><12Ⅰ-10><16Ⅱ-12><19Ⅱ-12>

A21　×「当然にその行為を行ったものとみなされる」
⇒「任務を怠ったものと推定される」

423条3項3号。なお，369条5項に注意。

A22　×「指名委員会等設置会社と執行役」
⇒「指名委員会等設置会社と取締役」

423条3項3号かっこ書。　<10Ⅰ-11><22Ⅰ-11>

Q23 監査等委員でない取締役が自己のために株式会社とする取引につき，当該取締役が監査等委員会の承認を受けたときでも，当該取引によって当該株式会社に損害が生じた場合には，当該取締役はその任務を怠ったものと推定される。

Q24 会社法423条1項に定める取締役の会社に対する責任は，株主総会の特別決議によって全額免除することができる。

Q25 取締役の会社に対する損害賠償責任は，株主総会の特別決議あるいは定款の定めに基づく取締役会の決議によらなければ，軽減される余地はない。

Q26 会社法423条1項に定める取締役の会社に対する責任は，その取締役が職務を行うにつき善意であれば，一定の額を限度として，株主総会の特別決議で軽減することができる。

A23　**×　「推定される」⇒「推定されない」**

423条4項。　＜18Ⅰ-11＞

A24　**×　「株主総会の特別決議」⇒「総株主の同意」**

423条1項に定める取締役の責任の全額免除は，総株主の同意によらなければならない（424条）。　＜07-11＞

A25　**×　「取締役」⇒「業務執行取締役」**

業務執行取締役（2条15号イ）以外の損害賠償責任は，株主総会の特別決議（425条1項1号ハ，309条2項8号）あるいは定款の定めに基づく取締役会決議によるほか（426条1項），定款の定めに基づく契約によっても軽減することができる（427条1項）。　＜12Ⅰ-13＞

A26　**×　「善意」⇒「善意・無重過失」**

取締役の損害賠償責任は，その取締役が職務を行うにつき善意・無重過失でなければ，株主総会の特別決議等により軽減することができない（425条1項柱書，426条1項）。　＜12Ⅰ-13＞＜23Ⅰ-12＞

Q27 会社法423条1項による代表取締役の責任は，定款の規定があれば，責任限定契約によって事前に軽減することができる。

Q28 監査役設置会社において，取締役の責任軽減の議案を株主総会に提出する場合，監査役の全員の同意を得なければならない。

Q29 株式会社は，取締役（業務執行取締役等であるものを除く。）の任務懈怠責任について，責任限定契約を当該取締役と締結することができる旨を定款で定めることができる。

4　取締役と株主・第三者との関係

Q01 公開会社において6箇月前から引き続き株式を有する株主は，取締役の責任を追及するため，いかなる場合においても直ちに責任を追及する訴えを提起することができる。

Q02 株式会社に対して取締役の責任を追及する訴えの提起を請求する権利は，単独株主権である。

A27　× 「できる」⇒「できない」
責任限定契約によって事前に責任を軽減することができるのは，非業務執行取締役，会計参与，監査役，会計監査人だけである（427条1項）。代表取締役は，非業務執行取締役の要件を満たさない（2条15号イ）。
<12Ⅰ-13><13Ⅱ-11><23Ⅰ-12>

A28　○
425条3項。　<13Ⅱ-11><23Ⅰ-12>

A29　○
427条1項。　<13Ⅱ-11>

A01　× 「いかなる場合においても」⇒「一定の場合のみ」
会社に回復することができない損害が生ずるおそれがある場合は例外的に，株主は直ちに責任を追及する訴えを提起できるにすぎない（847条5項）。　<07-14>

A02　○
847条1項。　<17Ⅰ-07>

Q03 公開会社でない株式会社の株主が，責任を追及する訴えを提起するには株式を6箇月間継続して保有することを要しない。

Q04 取締役に対する責任追及の訴えにおいて敗訴した株主は，必ず会社に対して損害賠償責任を負わなければならない。

Q05 株主の権利行使に関する財産上の利益の供与がなされた場合，株主は，当該株式会社から利益供与を受けた者に対し，当該株式会社のために，供与された財産上の利益の返還を求める訴えを提起することができる。

Q06 株主は，株主の権利の行使に関して利益の供与を行った取締役が会社に対して供与した利益の価額を支払うように請求する訴訟をなしうる。

Q07 公開会社において，取締役が法令又は定款に違反する行為を行い，これにより会社に回復できない損害を生ずるおそれがあるときは，6箇月前より引き続き株式を有する株主は，当該取締役に対してその行為の差止めを請求することができる。

A03　○

847条2項。　＜07-14＞＜14Ⅰ-09＞

A04　**×　「必ず」⇒「悪意があったときには」**

責任追及等の訴え（847条1項かっこ書参照）を提起した株主が敗訴した場合であっても，悪意があったときを除き，当該株主は，当該株式会社に対し，これによって生じた損害を賠償する義務を負わない（852条2項）。

＜07-14＞＜14Ⅰ-09＞

A05　○

責任追及等の訴えの対象には，「第120条第3項の利益の返還を求める訴え」も含まれている（847条1項3項5項）。

A06　○

120条4項，847条1項3項5項。　＜09-05＞

A07　○

360条1項3項。なお，監査役設置会社，監査等委員会設置会社または指名委員会等設置会社以外の株式会社では，会社に「著しい損害」が生ずるおそれがあればよい（360条1項）。　＜08-12＞＜22Ⅱ-04＞

Q08 株式会社の取締役が計算書類に記載すべき重要な事項について虚偽の記載をした場合，取締役は第三者に対して連帯して損害賠償の責任を負うが，取締役が注意を怠らなかったことを証明したときは，損害賠償責任は負わない。

Q09 判例によれば，株式会社の取締役に選任されていない者が，虚偽の就任登記がなされることに加功したときは，善意の第三者に対して取締役でないことを対抗できず，会社法429条1項に基づき第三者に対する責任を負う余地がある。

Q10 判例によれば，会社経営に関与しないことを前提に，いわゆる社外重役として名目的に取締役となった者は，会社法429条1項に基づく第三者に対する責任を負う余地はない。

Q11 判例によれば，取締役を辞任した者は，会社の代表者に対し，辞任登記を申請しないで不実の登記を残存させることに明示の承諾を与えていた場合であっても，会社法429条1項に基づく第三者に対する責任を負う余地はない。

A08　○

429条2項1号ロ，430条。

A09　○

最判昭47.6.15。

A10　×　**「余地はない」⇒「余地がある」**

名目取締役であっても取締役であることには変わりはなく，任務懈怠（監視義務違反）があれば，429条1項に基づく第三者に対する責任を負う余地がある（最判昭55.3.18）。

A11　×　**「余地はない」⇒「余地がある」**

辞任取締役は，不実の登記を残存させることに明示の承諾を与えていた場合，908条2項の類推適用により，429条1項に基づく第三者に対する責任を負う余地がある（最判昭62.4.16）。

4-5 会計参与

Q01 会計参与は，取締役と共同して，計算書類及びその附属明細書，臨時計算書類並びに連結計算書類を作成する権限を有する機関である。

Q02 会計参与は，取締役の職務の執行を監査し，会計参与報告を作成しなければならない。

Q03 会計参与になり得る者は，公認会計士若しくは監査法人，又は税理士若しくは税理士法人である。

Q04 株式会社の会計参与は，当該会社の監査役となることができない。

Q05 会計参与は，株主総会において，会計参与の解任又は辞任について意見を述べることができるが，選任について意見を述べることができない。

Q06 会計参与の報酬等は株主総会の決議によって定められ，会計参与は，株主総会において，会計参与の報酬等について意見を述べることが認められている。

A01　○

374条1項。　＜12Ⅱ-13＞＜22Ⅱ-12＞

A02　×　**「会計参与」⇒「監査役」**

「会計参与報告」⇒「監査報告」

会計参与の権限につき374条1項，監査役の権限につき381条1項参照。　＜07-12＞＜12Ⅱ-13＞＜22Ⅱ-12＞

A03　○

333条1項。

＜07-12＞＜10Ⅱ-10＞＜19Ⅰ-11＞＜24Ⅱ-13＞

A04　○

333条3項1号。　＜07−12＞＜19Ⅰ-11＞

A05　×　**「選任…できない」⇒「選任…できる」**

345条1項。　＜12Ⅱ-09＞

A06　○

379条1項3項。　＜11Ⅱ-11＞＜12Ⅰ-11＞＜19Ⅰ-11＞

Q07 公開会社でない株式会社（監査等委員会設置会社及び指名委員会等設置会社を除く。）が取締役会を設置した場合には，会計参与を設置すれば監査役の設置を免れることができる。

Q08 監査役会設置会社の会計参与は，その職務を行うに際して取締役の職務の執行に関し不正の行為があることを発見したときは，遅滞なく，これを取締役会に報告しなければならない。

Q09 取締役会設置会社の会計参与は，計算書類，臨時計算書類又は連結計算書類の承認をする取締役会に出席し，必要があると認めるときは，意見を述べなければならない。

4−6 監査役・監査役会・会計監査人

1 監査役の選任・解任

Q01 公開会社においては，定款で取締役が株主でなければならない旨を定めることはできないが，監査役が株主でなければならない旨を定めることはできる。

Q02 法人は，監査役になることができる。

A07　〇

327条2項。　<09-08>

A08　× 「取締役会」⇒「監査役会」

375条2項。

<10Ⅰ-13><10Ⅱ-10><13Ⅱ-10><15Ⅱ-09><20Ⅰ-11>

A09　〇

376条1項。　<14Ⅱ-10><22Ⅱ-12>

A01　× 「できる」⇒「できない」

公開会社においては，定款で株主に資格を限定することができない点は，取締役も監査役も同じである（331条2項本文，335条1項）。　<15Ⅰ-09>

A02　× 「できる」⇒「できない」

335条1項・331条1項1号。　<10Ⅱ-11>

Q03 監査役の選任及び解任は，株主総会の普通決議事項である。

Q04 公開会社の監査役の任期は，選任後４年以内に終了する事業年度のうち最終のものに関する定時株主総会の終結の時までであるが，定款又は株主総会の決議によって，その任期を短縮することができる。

Q05 任期の満了前に退任した監査役の補欠として選任された監査役の任期は，定款により，退任した監査役の任期の満了する時までとすることができる。

Q06 監査役設置会社の取締役は，監査役の選任に関する議案を株主総会に提出するには，監査役（監査役が２人以上ある場合にあっては，その過半数）の同意を得なければならない。

Q07 監査役は，取締役に対し，監査役の選任を株主総会の目的とすること，又は監査役の選任に関する議案を株主総会に提出することを請求することができる。

A03　**×　「選任及び解任」⇒「選任」**
監査役の選任は普通決議事項である（329条1項, 341条, 309条1項）。他方，解任の決議については，取締役の解任を普通決議で行う旨の規定（341条）は適用されない（343条4項）。解任は監査役の地位の安定を図るため，特別決議事項とされている（339条1項，309条2項7号）。
<08-11><12Ⅱ-09><22Ⅰ-13><23Ⅰ-10>
<24Ⅰ-10>

A04　**×　「短縮することができる」⇒「短縮できない」**
監査役の任期は，取締役（332条1項ただし書）と異なり，短縮できない（336条1項）。

A05　**○**
336条3項。　<12Ⅰ-09><15Ⅰ-08><23Ⅰ-11>

A06　**○**
343条1項。なお，監査役会設置会社について，同条3項参照。　<11Ⅱ-10><12Ⅱ-09>

A07　**○**
343条2項。

Q08 監査役は，株主総会において，監査役の選任及び解任について意見を述べることができ，また，監査役を辞任した者は，その後最初に招集される株主総会に出席し，その旨及び理由を述べることができる。

Q09 監査役は，株式会社若しくはその子会社の取締役若しくは支配人その他の使用人又は当該子会社の会計参与（会計参与が法人であるときは，その職務を行うべき社員）若しくは執行役を兼ねることができない。

Q10 親会社の取締役は子会社の監査役を兼ねることができるが，子会社の取締役は親会社の監査役を兼ねることができない。

Q11 監査役は，支配人を兼ねることはできない。

Q12 株式会社の支配人は，子会社の監査役となることができる。

Q13 子会社の支配人を勤めていた者は，その辞任後５年間は親会社の監査役に就任することはできない。

A08　○

345条1項2項4項。　＜22Ⅰ-13＞

A09　○

335条2項。　＜09-11＞＜12Ⅱ-11＞＜13Ⅱ-09＞＜15Ⅱ-10＞＜16Ⅰ-10＞＜24Ⅱ-11＞

A10　○

335条2項。親会社の取締役と子会社の監査役の兼任については，明文の禁止規定がない。なお，2条16号ハ参照。　＜09-11＞＜12Ⅱ-11＞＜13Ⅱ-09＞＜16Ⅰ-10＞＜24Ⅱ-11＞

A11　○

335条2項。　＜16Ⅰ-10＞

A12　○

335条2項参照。親会社の支配人と子会社の監査役の兼任については，明文の禁止規定がない。　＜18Ⅰ-12＞

A13　×　「できない」⇒「できる」

子会社の元支配人が親会社の監査役に就任しても，支配人を退任すれば監査役と支配人の兼任ではなくなるから，335条2項には反しない。なお，2条16号イ参照。

Q14 監査役が欠けた場合又は会社法若しくは定款で定めた監査役の員数が欠けた場合において，監査役会は，必要があると認めるときは，一時監査役の職務を行うべき者を選任することができる。

Q15 監査役の報酬について，株主総会決議では，監査役ごとに報酬額を定めることなく監査役全員に支給する総額のみを定め，各監査役に対する具体的配分は，取締役会の決定に委ねることができる。

Q16 監査役の報酬等は，定款にその額を定めていないときは，株主総会の決議によって定められ，監査役は，株主総会において，監査役の報酬等について意見を述べることが認められている。

Q17 取締役及び監査役の報酬について，定款にその額が定められていない場合，株主総会は取締役の報酬と監査役の報酬とを合わせて決議することができる。

Q18 監査役が事前又は事後に監査費用の支払を請求したとき，会社はその支払を常に拒むことができない。

A14　×　「監査役会」⇒「裁判所」

346条2項。　＜10Ⅱ-11＞

A15　×　「できる」⇒「できない」

監査役の協議によって定める（387条2項）。

A16　○

387条1項3項。　＜11Ⅱ-11＞

A17　×　「できる」⇒「できない」

監査役の独立性強化の観点から，取締役の報酬額と監査役の報酬額は，定款または株主総会決議により区別して定めなければならない（387条参照）。

A18　×　「できない」⇒「できる場合がある」

会社は，費用が監査役の職務の執行に必要でないことを証明すれば，費用の前払請求を拒むことができる（388条）。　＜17Ⅰ-13＞＜20Ⅱ-11＞

Q19　取締役会設置会社において，監査役が自己のために会社の事業の部類に属する取引をするためには，取締役会において，その取引につき重要な事実を開示してその承認を受けることを要する。

2　監査役の権限

Q01　監査役設置会社の監査役は，複数の監査役が存在する場合でも，他の監査役に拘束されず，単独で権限の行使ができる。

Q02　監査役は，正当事由があるときに限り，支配人その他の会社の使用人に対し事業の報告を求め，又はその業務及び財産の状況を調査することができる。

Q03　監査役設置会社の監査役は，その職務を行うため必要があるときは，監査役設置会社の子会社に対して事業の報告を求め，又はその子会社の業務及び財産の状況の調査をすることができるが，子会社は，正当な理由があるときは，当該報告又は調査を拒むことができる。

Q04　監査役設置会社の取締役は，株式会社に著しい損害を及ぼすおそれのある事実があることを発見したときは，直ちに，当該事実を監査役に報告しなければならない。

A19　**×　「要する」⇒「要しない」**

356条1項1号，365条1項に相当する規定はない。監査役は業務執行を行わないため，監査役が競業取引を行っても，取締役会の承認は不要である。

A01　**○**

381条1項，390条2項ただし書。監査役は，独任制の機関である。　<20Ⅱ-11>

A02　**×　「正当事由があるときに限り」⇒「いつでも」**

監査役は，いつでも，取締役・会計参与・支配人その他の使用人に対して事業の報告を求め，監査役設置会社の業務・財産の状況の調査をすることができる（381条2項）。

A03　**○**

381条3項4項。

A04　**○**

357条1項。なお，357条2項3項，419条1項参照。

<07-13><10Ⅰ-13><11Ⅰ-12><13Ⅱ-10>

Q05 公開会社の監査役は，取締役が不正の行為をし，若しくは当該行為をするおそれがあると認めるとき，又は法令若しくは定款に違反する事実若しくは著しく不当な事実があると認めるときは，遅滞なく，その旨を取締役会に報告しなければならない。

Q06 監査役設置会社の監査役は，取締役会に出席し，必要があるときは意見を述べなければならない。

Q07 取締役が法令違反の行為をしようとしているときは，これを取締役会に報告するため，監査役設置会社の監査役は，取締役会の招集を請求することができる。

Q08 監査役は，取締役が監査役設置会社の目的の範囲外の行為その他法令若しくは定款に違反する行為をし，又はこれらの行為をするおそれがある場合において，当該行為によって当該監査役設置会社に回復することができない損害が生ずるおそれがあれば，当該取締役に対し，当該行為をやめることを請求することができる。

Q09 監査役設置会社において，会社が取締役に対し，又は取締役が会社に対し訴えを提起する場合には，その訴えについては監査役が会社を代表する。

A05　○

382条。なお，327条1項1号2項本文参照。

<10Ⅱ-13><13Ⅱ-10><19Ⅱ-11>

A06　○

383条1項本文。　<07-13><17Ⅰ-11><22Ⅱ-11>

A07　○

382条，383条2項。

A08　**×　「回復することができない損害」⇒「著しい損害」**

監査役設置会社における株主による取締役の違法行為差止請求権の場合は，会社に「回復することができない損害」が生ずるおそれが必要である（360条3項）。これに対し，監査役が行う場合には，「著しい損害」が生ずるおそれがあるときで足りる（385条1項）。

<07-13><08-12><18Ⅰ-12><21-11>
<22Ⅱ-04>

A09　○

386条。馴合訴訟の防止のためである。

<09-10><11Ⅰ-09><15Ⅰ-10>

Q10 株式会社が監査役に対して訴えを提起する場合には，他の監査役が株式会社を代表する。

Q11 公開会社でない株式会社（監査役会設置会社及び会計監査人設置会社を除く。）は，その監査役の監査の範囲を会計に関するものに限定する旨を定款で定めることができる。

Q12 株式会社の定款の定めにより監査の範囲を会計監査に限定された監査役（以下「会計限定監査役」という。）は，会計帳簿が書面をもって作成されているときは，いつでも，当該書面の閲覧及び謄写をすることができる。

Q13 会計限定監査役は，取締役に対して事業の報告を求める権限を有しない。

Q14 会計限定監査役は，当該株式会社の株主が取締役の責任追及の訴えを提起する前に，当該株式会社に対して行う当該責任追及に係る提訴請求を適法に受けることができる。

A10　×　「監査役」⇒「代表取締役」

原則どおり，代表取締役が株式会社を代表する（349条1項4項）。なお，353条，386条参照。

＜12Ⅱ-11＞＜20Ⅱ-10＞

A11　○

389条1項。　＜08-07＞＜16Ⅰ-07＞＜18Ⅰ-12＞＜22Ⅱ-04＞＜24Ⅰ-08＞

A12　○

389条4項1号。　＜15Ⅱ-10＞

A13　○

会計限定監査役には業務監査権がないので（389条1項），389条7項で381条2項の適用が排除されている。

＜15Ⅰ-10＞＜17Ⅰ-13＞

A14　×　「できる」⇒「できない」

会計限定監査役には業務監査権がないので（389条1項），389条7項で386条2項1号の適用が排除されている。

＜12-08＞＜15Ⅱ-10＞＜17Ⅰ-13＞

3 監査役会

Q01 公開会社は，監査役会を置かなければならない。

Q02 監査役会は，すべての監査役で組織する。

Q03 監査役会設置会社においては，監査役は，3人以上で，そのうち過半数は，社外監査役でなければならない。

Q04 過去に株式会社の取締役であった者は，当該株式会社の社外監査役になることができない。

Q05 社外監査役となるには，その就任の前10年内のいずれかの時において当該株式会社又はその子会社の監査役であったことがある者にあっては，当該監査役への就任の前10年間当該株式会社又はその子会社の取締役，会計参与若しくは執行役又は支配人その他の使用人であったことがないことが必要である。

A01 **×「公開会社」⇒「公開・大会社」**

監査役会の設置が強制されるのは，監査等委員会設置会社および指名委員会等設置会社を除く，公開・大会社である（328条1項）。 <21-10>

A02 **○**

390条1項。

A03 **×「過半数」⇒「半数以上」**

監査役会設置会社においては，監査役は，３人以上で，そのうち「半数以上」は，社外監査役（2条16号）でなければならない（335条3項）。 <09-13><10Ⅰ-08><11Ⅰ-10><16Ⅰ-07><21-10><24Ⅰ-08>

A04 **×「過去に」⇒「その就任の前10年間」**

平成26年改正法は，社外監査役の要件について，「過去に」を「その就任の前10年間」と改正した（2条16号イ）。 <13Ⅱ-09>

A05 **○**

2条16号ロ。 <10Ⅱ-11>

Q06 社外監査役となるには，当該株式会社の親会社等（自然人であるものに限る。）又は親会社等の取締役，監査役若しくは執行役若しくは支配人その他の使用人でないことが必要である。

Q07 社外監査役となるには，当該株式会社の親会社等の子会社等（当該株式会社及びその子会社を除く。）の業務執行取締役等でないことは必要でない。

Q08 社外監査役となるには，当該株式会社の取締役若しくは支配人その他の重要な使用人又は親会社等（自然人であるものに限る。）の配偶者又は２親等内の親族でないことが必要である。

Q09 監査役会は，監査役の中から常勤の監査役を選定しなければならない。

Q10 代表取締役が監査役選任の議案を株主総会に提出するためには，監査役会の同意を得なくともよい。

A06　**○**

2条16号ハ。なお，親会社等の意義について，2条4号の2参照。　＜16Ⅰ-10＞

A07　**×　「必要でない」⇒「必要である」**

2条16号ニ。当該株式会社の親会社等の子会社等（当該株式会社及びその子会社を除く。）とは，同じ親会社等の子会社等，つまり兄弟会社を意味する。兄弟会社の業務執行取締役等は，親会社の指揮・監督を受ける立場にあるので，兄弟会社の社外監査役になれない。なお，子会社等の意義について，2条3号の2参照。

A08　**○**

2条16号ホ。　＜16Ⅰ-10＞

A09　**○**

390条2項2号3項。　＜09-08＞＜10Ⅱ-08＞＜11Ⅰ-10＞＜11Ⅱ-10＞＜16Ⅰ-11＞＜18Ⅰ-08＞＜21-10＞

A10　**×　「得なくともよい」⇒「得なければならない」**

代表取締役が監査役選任の議案を株主総会に提出するためには，監査役会の同意を得なければならない（343条3項）。　＜11Ⅱ-10＞

Q11 監査役会は，監査役の過半数による決議により，監査の方針，監査役会設置会社の業務及び財産の状況の調査の方法その他の監査役の職務の執行に関する事項の決定をすることができる。

Q12 監査の方針，監査役会設置会社の業務及び財産の状況の調査の方法等についての監査役会の決定は，各監査役の権限行使を拘束する。

Q13 監査役会は，各監査役が招集するのが原則であるが，監査役会を招集する監査役を定款で定めることができる。

Q14 監査役会設置会社の会計監査人は，監査役に対し，監査役会の目的である事項を示して，監査役会の招集を請求することができる。

Q15 監査役会は，監査役の全員の同意があるときは，招集の手続を経ることなく開催することができる。

Q16 監査役会の決議は，監査役の過半数をもって行う。

Q17 監査役会の決議に参加した監査役であって，監査役会の議事録に異議をとどめないものは，その決議に賛成したものと推定される。

A11　○

390条2項3号，393条1項。　＜12Ⅱ-12＞

A12　× 「拘束する」⇒「妨げることはできない」

390条2項ただし書。監査役は，独任制の機関である(405条4項と比較せよ)。

＜09-13＞＜11Ⅰ-10＞＜16Ⅰ-11＞＜18Ⅰ-12＞

A13　× 「できる」⇒「できない」

391条。なお，366条1項ただし書参照。

＜07-13＞＜11Ⅱ-10＞

A14　× 「できる」⇒「できない」

監査役会の招集権者は，各監査役である（391条)。

＜10Ⅰ-12＞

A15　○

392条2項。　＜10Ⅰ-12＞

A16　○

393条1項。

A17　○

393条4項。　＜10Ⅰ-12＞

4 会計監査人

Q01 会計監査人は，公認会計士又は監査法人でなければならない。

Q02 公開会社である会計監査人設置会社（監査等委員会設置会社及び指名委員会等設置会社を除く。）では，株主総会に提出する会計監査人の選任に関する議案の内容は，取締役会が決定することができる。

Q03 会計監査人は，役員と同様，株主総会で選任及び解任するのが原則である。

Q04 会計監査人を選任する株主総会の決議については，定款の定めにより，定足数の要件を排除することができる。

Q05 会計監査人の任期は，選任後１年以内に終了する事業年度のうち最終のものに関する定時株主総会の終結の時までである。

A01　○

337条1項。

A02　×「取締役会」
⇒「監査役（監査役会設置会社では監査役会）」

344条1項3項。なお，399条の2第3項2号，404条2項2号参照。　＜21-07＞

A03　○

329条1項，339条1項。なお，340条，346条4項6項7項8項参照。　＜08-11＞＜15Ⅰ-11＞

A04　○

341条は「役員を選任し，又は解任する株主総会の決議」としており，会計監査人の選任・解任をする株主総会の定足数は定款で排除できる（309条1項）。役員につき，329条1項参照。

＜08-09＞＜15Ⅰ-11＞＜20Ⅰ-08＞＜20Ⅱ-09＞

A05　○

338条1項。　＜12Ⅰ-09＞＜17Ⅱ-12＞

Q06 会計監査人は，選任後１年以内に終了する事業年度のうち最終のものに関する定時株主総会において別段の決議がされなかったときは，当該定時株主総会において再任されたものとみなされる。

Q07 監査役設置会社においては，株主総会に提出する会計監査人の選任及び解任並びに会計監査人を再任しないことに関する議案の内容は，監査役が（監査役が２人以上ある場合には監査役の過半数をもって）決定する。

Q08 会計監査人の報酬等は株主総会の決議によって定められ，会計監査人は，株主総会において，会計監査人の報酬等について意見を述べることが認められている。

Q09 取締役が会計監査人の報酬等を定める場合には，監査役会設置会社においては，監査役会の同意を得なければならない。

Q10 監査役は，会計監査人が職務上の義務に違反し，又は職務を怠ったときは，その会計監査人を解任することができる。

Q11 会計監査人が心身の故障のため，職務の執行に支障がある場合，監査役会は監査役の過半数の決議をもって，その会計監査人を解任することができる。

A06　○

338条2項。

＜12Ⅱ-11＞＜15Ⅰ-08＞＜17Ⅱ-12＞＜23Ⅰ-11＞

Q07　○

344条1項2項。なお，344条3項，399条の2第3項2号，404条2項2号参照。　＜12Ⅱ-12＞＜13Ⅱ-12＞＜14Ⅰ-11＞＜16Ⅰ-11＞＜21-07＞

A08　×　**「株主総会の決議によって定められ」**
⇒「株主総会の決議によって定める必要はない」

399条1項。なお，387条，361条1項2項5項参照。

＜11Ⅱ-11＞＜16Ⅱ-13＞＜17Ⅱ-12＞

A09　○

399条1項2項。なお，399条3項4項参照。

＜11Ⅱ-12＞＜13Ⅰ-10＞＜15Ⅰ-11＞＜16Ⅱ-13＞＜17Ⅱ-12＞＜19Ⅱ-13＞＜24Ⅰ-13＞

A10　○

340条1項2項。

＜12Ⅱ-12＞＜14Ⅰ-11＞＜17Ⅱ-12＞＜24Ⅰ-13＞

A11　×　**「過半数の決議」⇒「全員の同意」**

会計監査人の解任は，監査役の全員一致が必要である(340条1項2項4項)。

＜12Ⅱ-12＞＜14Ⅰ-11＞＜24Ⅰ-13＞

Q12	会計監査人が欠けた場合又は定款で定めた会計監査人の員数が欠けた場合において，遅滞なく会計監査人が選任されないときは，監査役は，一時会計監査人の職務を行うべき者を選任しなければならない。
Q13	会計監査人は，いつでも，支配人その他の使用人に対し，会計に関する報告を求めることができる。
Q14	会計監査人は，裁判所の許可を得て，会計監査人設置会社の子会社に対して会計に関する報告を求め，又は会計監査人設置会社若しくはその子会社の業務及び財産の状況の調査をすることができる。
Q15	子会社は，親会社の会計監査人による業務及び財産の状況の調査を拒むことができない。
Q16	会計監査人は，その職務を行うに際して取締役の職務の執行に関し不正の行為又は法令若しくは定款に違反する重大な事実があることを発見したときは，遅滞なく，これを監査役に報告しなければならない。
Q17	監査役は，その職務を行うため必要があるときは，会計監査人に対し，その監査に関する報告を求めることができる。

A12　○

346条4項。なお, 346条6項7項8項参照。

＜10Ⅰ-14＞＜21-07＞

A13　○

396条2項。　＜14Ⅱ-11＞＜21-12＞

A14　× **「裁判所の許可を得て」**

⇒「その職務を行うため必要があるときは」

396条3項。　＜13Ⅰ-10＞＜14Ⅱ-11＞＜21-12＞

A15　× **「拒むことができない」**

⇒「正当な理由があるときは，拒むことができる」

子会社は，正当な理由があるときは，親会社の会計監査人の報告または調査を拒むことができる（396条4項）。

＜17Ⅱ-12＞

A16　○

397条1項。なお, 397条3項4項5項参照。

＜10Ⅰ-13＞＜15Ⅰ-11＞＜21-12＞

A17　○

397条2項。　＜15Ⅱ-10＞＜20Ⅱ-11＞

4-7 監査等委員会設置会社

Q01 監査等委員は，取締役でなければならない。

Q02 監査等委員会設置会社においては，監査等委員である取締役は，３人以上で，その半数は，社外取締役でなければならない。

Q03 監査等委員会設置会社の取締役の株主総会における選任は，監査等委員である取締役とそれ以外の取締役とを区別してしなければならない。

Q04 監査等委員である取締役は，監査等委員会設置会社若しくはその子会社の業務執行取締役若しくは支配人その他の使用人又は当該子会社の会計参与（会計参与が法人であるときは，その職務を行うべき社員）若しくは執行役を兼ねることができない。

Q05 取締役が，監査等委員である取締役の選任に関する議案を株主総会に提出するには，監査等委員会の同意を得なければならない。

Q06 監査等委員会は，取締役に対し，監査等委員である取締役の選任を株主総会の目的とすること又は監査等委員である取締役の選任に関する議案を株主総会に提出することを請求することができる。

A01　○

399条の2第2項。

A02　×　「半数」⇒「過半数」

331条6項。　＜17Ⅱ-08＞＜20Ⅱ-08＞＜23Ⅱ-11＞

A03　○

329条2項。　＜17Ⅱ-08＞＜19Ⅰ-08＞

A04　○

331条3項。　＜16Ⅱ-13＞＜19Ⅰ-08＞

A05　○

344条の2第1項。　＜23Ⅰ-13＞

A06　○

344条の2第2項。

Q07 監査等委員である取締役の任期は，原則として，選任後２年以内に終了する事業年度のうち最終のものに関する定時株主総会の終結のときまでであるが，定款又は株主総会の決議によって，その任期を短縮することができる。

Q08 監査等委員以外の取締役の任期は，原則として，選任後２年以内に終了する事業年度のうち最終のものに関する定時株主総会の終結のときまでであるが，定款又は株主総会の決議によって，その任期を短縮することができる。

Q09 監査等委員会設置会社における取締役は，いつでも，監査等委員である取締役も含め株主総会の普通決議によって解任することができる。

Q10 監査等委員である取締役は，株主総会において，監査等委員である取締役の選任若しくは解任又は辞任について意見を述べることができる。

Q11 監査等委員は，株主総会において，監査等委員である取締役以外の取締役の選任若しくは解任又は辞任について監査等委員会の意見を述べることができる。

A07　×　**「短縮することができる」**
⇒「短縮することができない」

332条1項4項。監査役設置会社の監査役（332条1項ただし書と336条1項を対比せよ）と同様に，任期を短縮することができないのは，その地位の独立性強化のためである。＜16Ⅱ-13＞

A08　×　**「選任後２年以内」⇒「選任後１年以内」**

332条1項3項。監査等委員の方の任期が長いのは，その地位の独立性強化のためである。＜23Ⅰ-11＞

A09　×　**「監査等委員である取締役も含め」**
⇒「監査等委員である取締役は」
「普通決議」⇒「特別決議」

309条2項7号。監査役と同様に，その地位の独立性強化のためである。＜17Ⅱ-11＞＜24Ⅱ-10＞

A10　○

342条の2第1項。＜23Ⅰ-13＞

A11　×　**「監査等委員は」**
⇒「監査等委員会が選定する監査等委員は」

342条の2第4項，399条の2第3項3号。
＜18Ⅰ-11＞＜23Ⅰ-13＞

Q12 監査等委員会設置会社の取締役の報酬等は，定款に定めがなければ，株主総会の決議によって決定されるが，その際，監査等委員である取締役とそれ以外の取締役とを区別して定めなければならない。

Q13 監査等委員である取締役は，株主総会において，監査等委員である取締役の報酬等について意見を述べることができる。

Q14 監査等委員である各取締役の報酬等について定款の定め又は株主総会の決議がないときは，各取締役の報酬等の分配は，監査等委員会の決議によって定める。

Q15 監査等委員は，株主総会において，監査等委員である取締役以外の取締役の報酬等について監査等委員会の意見を述べることができる。

Q16 監査等委員会は，監査等委員の中から常勤の監査等委員を選定しなければならない。

Q17 監査等委員会は，取締役（会計参与設置会社にあっては，取締役及び会計参与）の職務の執行を監査し，監査報告を作成する。

A12 ○

361条1項2項。監査役と同様に（387条1項），その地位の独立性強化のためである。 <19Ⅱ-13><22Ⅱ-10>

A13 ○

361条5項。なお，387条3項参照。 <22Ⅱ-10>

A14 × **「監査等委員会の決議」**
⇒「監査等委員である取締役の協議」

361条3項。なお，387条3項参照。 <19Ⅱ-13>

A15 × **「監査等委員は」**
⇒「監査等委員会が選定する監査等委員は」

361条6項，399条の2第3項3号。 <19Ⅱ-13>
<22Ⅱ-10>

A16 × **「選定しなければならない」**
⇒「選定する必要はない」

監査役会のように常勤者を置くこと（390条3項）は要求されていない。 <18Ⅰ-11><24Ⅰ-08>

A17 ○

399条の2第3項1号。

Q18 監査等委員会は，株主総会に提出する会計監査人の選任及び解任並びに会計監査人を再任しないことに関する議案の内容を決定する権限を有する。

Q19 監査等委員は，いつでも，取締役（会計参与設置会社にあっては，取締役及び会計参与）及び支配人その他の使用人に対し，その職務の執行に関する事項の報告を求め，又は監査等委員会設置会社の業務及び財産の状況の調査をすることができる。

Q20 監査等委員会は，監査等委員である取締役以外の取締役の選任若しくは解任又は辞任について株主総会において述べるべき監査等委員会の意見を決定する。

Q21 監査等委員会は，監査等委員である取締役以外の取締役の報酬等について株主総会において述べるべき監査等委員会の意見を決定する。

Q22 監査等委員会が選定する監査等委員は，取締役が監査等委員会設置会社の目的の範囲外の行為その他法令若しくは定款に違反する行為をし，又はこれらの行為をするおそれがある場合において，当該行為によって当該監査等委員会設置会社に著しい損害が生ずるおそれがあるときは，当該取締役に対し，当該行為をやめることを請求することができる。

A18　○

399条の2第3項2号。

A19　×　「監査等委員」

⇒「監査等委員会が選定する監査等委員」

399条の3第1項。

A20　○

399条の2第3項3号（→342条の2第4項）。社外取締役が過半数を占める監査等委員会による経営評価を会社経営に反映させようとする仕組みである。なお，404条1項参照。

A21　○

399条の2第3項3号（→361条6項）。監査等委員会による経営評価を会社経営に反映させようとする仕組みである。なお，404条3項参照。

A22　×　「監査等委員会が選定する監査等委員」

⇒「監査等委員」

399条の6第1項。　＜23 I -13＞

Q23 監査等委員会設置会社が監査等委員以外の取締役に対して訴えを提起する場合には，当該訴えについては，監査等委員会が選定する監査等委員が監査等委員会設置会社を代表する。

Q24 監査等委員会は，各監査等委員が招集するのが原則であるが，監査等委員会を招集する監査等委員を定款で限定することができる。

Q25 監査等委員会は，監査等委員の全員の同意があるときは，招集の手続を経ることなく開催することができる。

Q26 取締役（会計参与設置会社にあっては，取締役及び会計参与）は，監査等委員会の要求があったときは，監査等委員会に出席し，監査等委員会が求めた事項について説明をしなければならない。

Q27 監査等委員会の決議は，議決に加わることができる監査等委員の過半数が出席し，その過半数をもって行う。

Q28 監査等委員会の決議について特別の利害関係を有する監査等委員は，議決に加わることができない。

A23 ○

399条の7第1項2号。

A24 × 「限定することができる」

⇒「限定することができない」

399条の8。なお, 366条1項ただし書, 410条参照。

<24 I -13>

A25 ○

399条の9第2項。なお, 300条, 368条2項, 392条2項, 411条2項参照。

A26 ○

399条の9第3項。なお, 411条3項参照。

A27 ○

399条の10第1項。

A28 ○

399条の10第2項。なお, 369条2項, 412条2項参照。

Q29 監査等委員会設置会社の取締役会は，執行役を選任しなければならない。

Q30 監査等委員会設置会社の業務の執行は，代表取締役等の業務執行取締役が行う。

Q31 監査等委員会設置会社の取締役会は，監査等委員会設置会社が大会社でなければ，取締役の職務の執行が法令及び定款に適合することを確保するための体制その他株式会社の業務並びに当該株式会社及びその子会社から成る企業集団の業務の適正を確保するために必要なものとして法務省令で定める体制の整備を決定しなくてもよい。

Q32 監査等委員会設置会社の取締役の過半数が社外取締役である場合には，当該監査等委員会設置会社の取締役会は，その決議によって，重要な業務執行（法定のものを除く。）の決定を取締役に委任することができる。

Q33 監査等委員会設置会社は，取締役会の決議によって重要な業務執行（法定のものを除く。）の決定の全部又は一部を取締役に委任することができる旨を定款で定めることができる。

A29　×　**「執行役」⇒「代表取締役」**

監査等委員会設置会社の取締役会は，取締役（監査等委員である取締役を除く）の中から代表取締役を選定しなければならない（399条の13第1項3号3項）。

＜19Ⅰ-08＞＜24Ⅱ-08＞

A30　○

363条1項，399条の13第1項3号3項。

A31　×　**「大会社でなければ」⇒「大会社か否かを問わず」**

「決定しなくてもよい」⇒「決定しなければならない」

399条の13第1項1号ハ2項。　＜23Ⅱ-12＞

A32　○

399条の13第5項。　＜16Ⅰ-09＞＜21-09＞＜24Ⅰ-13＞

A33　○

399条の13第6項。　＜16Ⅰ-09＞＜16Ⅱ-13＞

4−8 指名委員会等設置会社

Q01 指名委員会等設置会社になることができるのは，公開会社である大会社に限られる。

Q02 指名委員会等設置会社には，機関として，指名委員会，監査委員会，報酬委員会の３つの委員会，及び１人又は数人の執行役を置かなければならない。

Q03 指名委員会等設置会社の取締役会は，経営の基本方針等の事項を決定し，取締役及び執行役の職務の執行を監督する。

Q04 指名委員会等設置会社の取締役会は，経営の基本方針の決定を，執行役に委任することができる。

Q05 指名委員会等設置会社の取締役会は，執行役に重要な財産の処分及び譲受け，株式発行，社債の発行の決定を委任することができる。

A01　× 「限られる」⇒「限られない」

すべての会社が指名委員会等設置会社になれる（326条2項）。 ＜10Ⅰ-08＞＜17Ⅰ-08＞

A02　○

指名委員会等設置会社は，監督（取締役会）と業務執行（執行役）を分離し，効率的な経営の実現を目的としている。そこで，機関として，取締役会の監督機能を充実・強化させるため３つの委員会（2条12号）と執行役（＝業務執行権者）が置かれる（402条1項）。

＜20Ⅰ-12＞

A03　○

416条1項。指名委員会等設置会社における取締役会の機能は，監督が中心となる。 ＜21-11＞

A04　× 「できる」⇒「できない」

416条1項1号イ3項。 ＜11Ⅱ-13＞

A05　○

取締役会は，法の定める基本的事項を除いて（416条4項ただし書），業務執行の決定を執行役に委任することができる（416条4項本文）。 ＜09-12＞＜11Ⅱ-13＞

＜14Ⅰ-10＞＜15Ⅰ-09＞＜20Ⅱ-12＞＜24Ⅱ-16＞

Q06 指名委員会等設置会社の取締役会は，譲渡制限株式の取得について承認するかどうかの決定を執行役に委任することができる。

Q07 指名委員会等設置会社の取締役会は，合併契約（当該指名委員会等設置会社の株主総会の決議による承認を要しないものを除く。）の内容の決定を執行役に委任することができない。

Q08 指名委員会等設置会社の取締役会を構成する取締役の過半数は，社外取締役でなければならない。

Q09 指名委員会等設置会社の取締役の任期は，選任後２年以内に終了する事業年度のうち最終のものに関する定時株主総会の終結の時までである。

Q10 指名委員会等設置会社の取締役は，当該会社の使用人を兼ねることができない。

Q11 執行役の選任及び解任は，株主総会の決議による。

A06　×　「できる」⇒「できない」

416条4項1号。　＜11Ⅱ-08＞＜14Ⅰ-10＞＜18Ⅱ-10＞

A07　○

416条4項19号。　＜11Ⅱ-13＞＜14Ⅰ-10＞＜24Ⅰ-18＞

A08　×　「取締役会」⇒「委員会」

各委員会の委員の過半数は，社外取締役でなければならないが（400条3項），取締役会についてはそのような制限はない。　＜06-10＞＜18Ⅱ-13＞

A09　×　「2年」⇒「1年」

332条6項。　＜12Ⅰ-09＞

A10　○

指名委員会等設置会社における取締役は，原則として，業務を執行することができない（415条）ので，業務執行取締役（2条15号かっこ書，363条1項）を置くことはできないし，使用人兼務取締役も許されない（331条4項）。　＜06-11＞＜12Ⅰ-12＞＜17Ⅰ-12＞

A11　×　「株主総会の決議」⇒「取締役会の決議」

402条2項，403条1項。　＜10Ⅱ-12＞＜21-11＞

Q12 公開会社でない指名委員会等設置会社は，執行役が株主でなければならない旨を定款で定めることができる。

Q13 指名委員会等設置会社において，執行役が取締役を兼任することは認められていない。

Q14 代表執行役の選定及び解職は，執行役の互選による。

Q15 執行役の任期は，原則として，選任後１年以内に終了する事業年度のうち最終のものに関する定時株主総会の終結後最初に招集される取締役会の終結の時までである。

Q16 指名委員会等設置会社においては，取締役会が業務の執行の決定を行い，その決定に基づいて執行役が業務を執行するので，執行役が業務の執行の決定をすることはできない。

Q17 執行役は，３箇月に１回以上，自己の職務の執行の状況を取締役会に報告しなければならない。

Q18 執行役は，自己の職務の執行の状況を取締役会に報告する場合において，代理人（他の執行役に限る。）により当該報告をすることができる。

A12　○
402条5項ただし書。なお，331条2項も参照のこと。
<10Ⅱ-12>

A13　×　**「認められていない」⇒「認められている」**
402条6項。　<06-13><17Ⅰ-12><20Ⅰ-12>

A14　×　**「執行役の互選」⇒「取締役会の決議」**
420条1項2項。なお, 416条1項1号ハ参照。
<09-10><17Ⅰ-12><21-11>

A15　○
402条7項本文。ただし，定款によって，任期を短縮することができる（同条7項ただし書）。

A16　×　**「できない」⇒「できる」**
416条4項本文，418条1号。　<06-13>

A17　○
417条4項前段。なお，363条2項参照。
<10Ⅱ-12><12Ⅱ-10>

A18　○
417条4項後段。　<10Ⅰ-11><12Ⅱ-10><19Ⅰ-13>

Q19 執行役がその職務を行うについて悪意又は重大な過失があったときは，任務懈怠により第三者に生じた損害を賠償する義務を負う。

Q20 指名委員会等設置会社において，各委員会を組織する取締役は取締役会の決議により定められるが，この決定は，執行役に委任することができない。

Q21 指名委員会等設置会社において，各委員会は委員３人以上で組織されるが，各委員会の委員の過半数は社外取締役でなければならない。

Q22 取締役会は，各委員会の決定を覆すことができない。

Q23 指名委員会は，株主総会に提出する取締役の選任及び解任に関する議案の内容を決定する権限を有する。

Q24 監査委員会は，執行役等の職務の執行の監査及び監査報告の作成，株主総会に提出する会計監査人の選任及び解任並びに会計監査人を再任しないことに関する議案の内容の決定をする権限を有する。

A19　○

429条1項。

A20　○

400条2項，416条4項9号。委員の解職権も取締役会にある（401条1項）。　＜11Ⅰ-11＞＜24Ⅱ-08＞

A21　○

400条1項3項。

＜06-11＞＜09-13＞＜18Ⅱ-13＞＜24Ⅰ-08＞

A22　○

委員会の決定は最終的なものである（404条1項2項2号3項）。

A23　○

404条1項。なお，会計参与設置会社にあっては，会計参与についても同様である。

＜08-14＞＜13Ⅱ-12＞＜17Ⅱ-08＞＜20Ⅰ-12＞

A24　○

404条2項。なお，執行役等とは執行役および取締役をいい，会計参与設置会社にあっては，執行役，取締役および会計参与をいう。

＜13Ⅱ-12＞＜14Ⅰ-11＞＜16Ⅰ-11＞＜20Ⅰ-12＞

Q25 各監査委員は，いつでも，執行役等及び支配人その他の使用人に対し，その職務の執行に関する事項の報告を求め，又は指名委員会等設置会社の業務及び財産の状況の調査をすることができる。

Q26 指名委員会等設置会社と執行役との間の訴えについては，監査委員会が選定する監査委員が会社を代表する。

Q27 監査委員は，執行役又は取締役が指名委員会等設置会社の目的の範囲外の行為その他法令若しくは定款に違反する行為をし，又はこれらの行為をするおそれがある場合において，当該行為によって当該指名委員会等設置会社に著しい損害が生ずるおそれがあるときは，当該執行役又は取締役に対し，当該行為をやめることを請求することができる。

Q28 監査委員は，指名委員会等設置会社若しくはその子会社の執行役若しくは業務執行取締役又は指名委員会等設置会社の子会社の会計参与若しくは支配人その他の使用人を兼ねることができない。

Q29 指名委員会等設置会社の報酬委員会は，執行役の個人別の報酬等の内容を決定するに際し，執行役が支配人その他の使用人を兼ねているときは，使用人分の報酬についても決定する。

A25　×　**「各監査委員は」**
⇒「監査委員会が選定する監査委員は」

監査委員会には，調査権が認められているが（405条），それは委員会の権限であって，各監査委員の権限ではない。　＜09-13＞＜16Ⅰ-11＞＜17Ⅰ-12

A26　○

408条1項2号。　＜11Ⅰ-09＞＜13Ⅱ-12＞

A27　○

407条1項。監査委員には，監査役と異なり独任制（390条2項ただし書）は採られていないが（405条4項），不正行為等に対しては迅速な対応が取れるよう権限が与えられている（406条，407条1項）。
＜16Ⅰ-11＞＜21-11＞

A28　○

400条4項。なお，会計参与が法人であるときは，その職務を行うべき社員とも兼任が禁止される。
＜11Ⅰ-11＞＜12Ⅰ-12＞

A29　○

404条3項。　＜06-13＞＜11Ⅰ-11＞＜20Ⅰ-12＞

Q30 報酬委員会の委員の報酬等については，報酬委員会がその内容を決定することはできない。

A30　×　「できない」⇒「できる」

404条3項。　<13Ⅱ−12><19Ⅱ−13>

資金調達

§5

5−1 募集株式の発行等

Q01 公開会社でない株式会社においては，募集事項は，原則として，株主総会の普通決議によって定められる。

Q02 募集株式についての募集事項は，募集新株予約権の募集事項と同様に，募集ごとに均等に定めなければならない。

Q03 公開会社でない株式会社において，株主以外の者に募集株式を特に有利な払込金額で発行する場合には，取締役は，募集事項を決定する株主総会において，その払込金額でその者の募集をすることを必要とする理由を説明しなければならない。

Q04 取締役会設置会社でない株式会社において，株主総会の特別決議で，募集事項の決定を取締役に委任することができるが，その場合には委任に基づき募集事項を決定することが可能な募集株式の数の上限及び払込金額の下限を定めなければならない。

Q05 公開会社でない株式会社において，株主以外の者に募集株式を特に有利な払込金額で発行する場合には，株主総会の決議で，取締役（取締役会設置会社においては取締役会）に委任することはできない。

A01　×　「普通決議」⇒「特別決議」

非公開会社では，募集事項の決定は株主総会の特別決議によるのが原則である（199条2項，309条2項5号）。

＜11Ⅱ-06＞

A02　○

199条5項，238条5項。　＜07-07＞＜08-06＞

A03　○

199条3項。

A04　○

200条1項，309条2項5号。なお，非公開会社で取締役会設置会社の場合は取締役会に委任できる（200条1項かっこ書）　＜07－07＞

A05　×　「できない」⇒「できる」

200条2項。株主総会において有利な払込金額で募集することの理由の説明が必要である。

Q06 株主に株式の割当てを受ける権利を与えて行う募集株式の発行等において，株式会社が自己株式を有するときは，株主である当該株式会社は，募集株式の割当てを受ける権利を有しない。

Q07 公開会社でない株式会社において，株主割当てによって，募集株式の発行をする場合には，募集事項は，原則として，取締役（取締役会設置会社においては取締役会）が決定する。

Q08 株主割当てによって，募集株式の発行をする場合には，株主が募集株式の引受けの申込期日までに引受けの申込みをしないときは，当該株主は，募集株式の割当てを受ける権利を失う。

Q09 株主割当てを決定した場合には，会社は申込期日の２週間前までに，株主に対し，募集事項，割当てを受ける株式数及び申込期日を通知しなければならない。

A06　○

202条2項かっこ書。　＜14Ⅱ-06＞

A07　× **「取締役（取締役会設置会社においては取締役会）」⇒「株主総会」**

非公開会社では持株比率の維持が重要であり，引受けに応じられない場合，既存株主に不利益が及ぶことから，会社法は，原則として，株主総会の特別決議によるものとし（202条3項4号，309条2項5号），定款の定めにより取締役（会）の決定により募集事項を定めることもできるとしている（202条3項1号2号）。

＜11Ⅱ-06＞＜14Ⅱ-06＞＜19Ⅰ-07＞＜24Ⅱ-06＞

A08　○

204条4項。　＜14Ⅱ-06＞＜19Ⅰ-07＞＜24Ⅱ-06＞

A09　○

株主は，引受けの申込みの期日（202条1項2号）までに申込みをしないと，割当てを受ける権利を失う（204条4項）。そこで，権利行使の機会を与えるため，通知が必要である（202条4項）。

＜14Ⅱ-06＞＜16Ⅱ-05＞＜21-06＞＜24Ⅱ-06＞

Q10 公開会社においては，募集事項の決定は，原則として，取締役会決議によってなされる。

Q11 公開会社において，株主割当てによって，募集株式を特に有利な払込金額で発行する場合は，株主総会の特別決議が必要となる。

Q12 公開会社において，株主以外の者に募集株式を特に有利な払込金額で発行する場合は，株主総会の特別決議が必要となる。

Q13 公開会社でない株式会社は，募集株式の割当て等を行い，そのため支配株主が異動する場合には，株主に対し，当該募集株式の引受人の氏名又は名称及び住所等一定の事項を通知しなければならない。

Q14 公開会社において，株主以外の者に募集株式を特に有利な払込金額で発行する場合は，株主総会の特別決議で，募集事項の決定を取締役会に委任することはできない。

Q15 公開会社において，株主割当てによることを決定するのは取締役会である。

A10　○

201条1項。　<07-07><16Ⅱ-05>

A11　×　「必要となる」⇒「不要である」

202条5項。

A12　○

201条1項，199条2項3項，309条2項5号。

A13　×　「公開会社でない株式会社」⇒「公開会社」

206条の2第1項。なお，206条の2第4項に注意。

A14　×　「できない」⇒「できる」

201条1項，200条1項，309条2項5号。

A15　○

202条3項3号。

Q16　公開会社でも公開会社でない株式会社でも，株主以外の者に対して，募集株式の発行等をするには，払込期日又は払込期間初日の２週間前までに募集事項を株主に通知又は公告しなければならない。

Q17　公開会社において，金融商品取引法に基づく届出をしている場合その他株主の保護に欠けるおそれがないものとして法務省令で定める場合は，募集事項の通知又は公告は不要である。

Q18　設立時の株式引受けにつき，現物出資をなしうるのは発起人のみであるが，設立後の新株発行については現物出資をなしうる者の制限はない。

Q19　設立の場合と異なり，募集株式の発行等の場合には，現物出資について，検査役の調査は不要である。

Q20　検査役による現物出資財産の価額調査の結果が不当と判断されれば，裁判所が変更する。

A16　**×　「公開会社でも公開会社でない株式会社でも」**
⇒「公開会社では」

公開会社では，原則として取締役会決議により募集事項の決定がなされ（201条1項），株主が募集株式の発行等に関与しない。そこで，既存株主に差止めの機会（210条）を与えるため，募集事項を株主に通知または公告（939条参照）しなければならない（201条3項4項）。非公開会社では募集事項の決定は株主総会の特別決議で行うので（199条2項，309条2項5号），株主への通知・公告は不要である。　＜10Ⅰ-07＞

A17　**○**

201条5項，会社法施行規則40条。　＜08-19＞

A18　**○**

会社設立時の現物出資は，発起人に限ってなしうる（34条1項と63条1項を対比せよ）。他方，募集株式の発行等の場合にはこのような制限がない。　＜10Ⅱ-06＞

A19　**×　「異なり」「不要」⇒「同様」「原則として必要」**

原則として，検査役の調査が必要である（207条1項）。なお，検査役の調査の例外につき，同条9項1号～5号参照。　＜24Ⅰ-06＞

A20　**○**

207条7項。　＜10Ⅱ-06＞

Q21	株式会社が募集株式の発行等を行う場合，株式会社は，募集株式の引受人に対する出資の払込みを受ける債権と，当該引受人に対する債務とを，相殺することはできない。
Q22	募集株式の引受人は，払込期日を定めた場合には当該期日に，払込期間を定めた場合は出資の履行をした日に，出資の履行をした募集株式の株主となる。
Q23	募集株式の引受人は，出資の履行をしないときは，出資の履行をすることにより募集株式の株主となる権利を失う。
Q24	会社が著しく不公正な方法によって募集に係る株式の発行又は自己株式の処分をしようとし，それにより株主が不利益を受けるおそれがある場合は，その株主は会社に対して株式の発行又は自己株式の処分をやめることを請求することができる。
Q25	株主が募集株式の発行等をやめることの請求をするには，訴えによらなければならない。
Q26	取締役や執行役と通じて著しく不公正な払込金額で募集株式を引き受けた者がいる場合，その者は公正な発行価額との差額を支払う義務を負う。

A21　×　「できない」⇒「できる」

208条3項反対解釈。　<10Ⅱ-06><17Ⅱ-06><20Ⅰ-06>

A22　○

209条1項。なお，例外につき209条4項参照。

<10Ⅰ-07><17Ⅱ-06><19Ⅰ-07>

A23　○

208条5項。

A24　○

210条2号。

A25　×　「よらなければならない」⇒「よらなくてもよい」

事前に募集株式の発行等の差止を請求する場合には，必ずしも訴えによる必要がない。この点で，既になされた募集株式の発行等の無効を主張する場合（828条1項2号3号参照）とは異なる。

A26　○

212条1項1号。

5

Q27 募集株式の引受人が株主になった時点で給付した現物出資財産の価額が募集事項として定められた価額に著しく不足する場合において，当該引受人が著しく不足することにつき善意で重過失がないときは，当該不足額を会社に対し支払う義務を負わない。

Q28 現物出資に関して引受人が不足額てん補責任を負う場合，当該募集株式の引受人の募集に関する職務を行った業務執行取締役も，連帯して無過失の不足額てん補責任を負う。

Q29 金銭出資の払込みを仮装した場合，募集株式の引受人は，株式会社に対し，払込みを仮装した払込金額の全額の支払義務を負う。

Q30 新株発行の無効は，訴えをもってのみ主張することができるが，新株発行の不存在は，訴えによらなくても主張することができる。

Q31 公開会社でない株式会社では，新株発行の無効の訴えを提起できる期間に制限がない。

Q32 判例によれば，公開会社において，代表取締役が取締役会の決議を経ずに新株を発行しても，新株発行の無効原因とならない。

A27　×　**「負わない」⇒「負う」**

212条1項。なお，当該引受人が著しく不足することについて善意でかつ重過失がない場合は，引受申込等の取消しが認められる（212条2項）。　<21-06>

A28　×　**「無過失の」⇒「一定の場合を除いて」**

現物出資財産価額について検査役の調査を経ている場合や当該取締役等がその職務を行うにつき注意を怠らなかったことを証明した場合については責任を負わない（213条2項）。

A29　○

213条の2第1項1号。なお，現物出資の場合について，213条の2第1項2号参照。　<18Ⅰ-07><22Ⅰ-04>

A30　○

828条1項2号，829条1号。　<10Ⅱ-07>

A31　×　**「期間に制限がない」⇒「期間は1年以内である」**

提訴期間は，公開会社が6箇月以内，非公開会社が1年以内である（828条1項2号かっこ書）。

<10Ⅰ-07><13Ⅰ-07><17Ⅱ-06>

A32　○

最判昭36.3.31。　<09-07><16Ⅱ-05>

Q33	判例によれば，公開会社において，株主総会の特別決議を経ずに，株主以外の者に募集株式を特に有利な払込金額で発行しても，新株発行の無効原因とはならない。
Q34	判例によれば，公開会社でない株式会社において，株主総会の特別決議を経ずに株主割当て以外の方法による新株発行がされたことは，当該新株発行の無効原因となる。
Q35	判例によれば，公開会社において，新株発行差止めの仮処分に違反して新株が発行されても，新株発行の無効原因とはならない。
Q36	判例によれば，公開会社において，払込期日又は払込期間初日の２週間前までに募集事項を株主に通知又は公告しないで，新株が発行されても，新株発行の無効原因とはならない。
Q37	新株発行の無効判決が確定したときであっても，当該株式に係る株主は判決確定までに剰余金の配当として受けた金銭を会社に返還する必要はない。

A33　○

最判昭46. 7. 16。　＜16Ⅱ-05＞＜20Ⅰ-06＞

A34　○

最判平24.4.24。　＜23Ⅰ-07＞

A35　× 「無効原因とはならない」⇒「無効原因となる」

株主に対し新株発行差止めの仮処分命令を得る機会を与え，差止請求権の実効性を担保しようとした法の趣旨から，仮処分命令に違反して発行したことは無効原因になる（最判平5. 12. 16）。　＜09-07＞＜17Ⅱ-06＞

A36　× 「ならない」⇒「原則としてなる」

新株発行に関する事項の公示を欠くことは，新株発行差止請求をしたとしても差止めの事由がないためにこれが許容されないと認められる場合でない限り，新株発行の無効原因となる（最判平9. 1. 28）。新株発行に関する事項の公示は，株主が新株発行差止請求権を行使する機会を保障することを目的として会社に義務づけられたものだからである。　＜09-07＞＜16Ⅰ-05＞

A37　○

839条・834条2号。＜10Ⅰ-07＞＜13Ⅰ-07＞＜18Ⅱ-08＞

5−2 新株予約権

Q01 株式会社は，その発行する新株予約権を引き受ける者の募集をしようとするときは，その都度，募集新株予約権について募集事項を定めなければならないが，公開会社でない株式会社においては，募集事項は株主総会の特別決議で決定するのが原則である。

Q02 公開会社においては，募集新株予約権についての募集事項は，取締役会決議で決定するのが原則である。

Q03 取締役会設置会社において，株主に新株予約権の割当てを受ける権利を与える場合，新株予約権の募集事項は常に取締役会の決議によって定めることができる。

Q04 公開会社において，株主割当ての方法によらないで募集新株予約権を発行する場合，払込金額が新株予約権を引き受ける者に特に有利な金額である場合には，株主総会の特別決議が必要となる。

Q05 新株予約権は，株主以外の者に対して無償で発行することができない。

A01 ○

238条2項，309条2項6号。 <16Ⅰ-06>

A02 ○

240条1項，238条2項3項。

A03 × 「常に」⇒「株式会社が公開会社である場合」

取締役会設置会社であっても公開会社でない場合には，株主総会の特別決議で決定するのが原則である（241条3項4号，309条2項6号）。 <06-07><17Ⅱ-07>

A04 ○

240条1項・238条2項3項2号，309条2項6号。

<14Ⅰ-06><20Ⅱ-07>

A05 × 「できない」⇒「できる」

238条1項2号。 <06-07><11Ⅰ-06><15Ⅱ-05>

<17Ⅱ-07><20Ⅱ-07>

Q06 株式会社が募集新株予約権を株主以外の者に無償で発行するには，その旨の定款の定めがなければならない。

Q07 公開会社において，株主以外の者に対して新株予約権を無償で発行する場合，当然に株主総会の特別決議が必要である。

Q08 新株予約権が有償で発行される場合，新株予約権の割当てを受けた申込者は，払込みの有無にかかわらず，割当日に新株予約権者となる。

Q09 新株予約権が有償で発行される場合には，新株予約権者は，払込期日までに募集新株予約権の払込金額の全額を払い込まなければならない。

Q10 新株予約権者が，払込期日までに払込金額の全額の払込みをしないときは，募集新株予約権を行使できない。

A06 × 「なければならない」⇒「必要ない」

株式会社が募集新株予約権を株主以外の者に無償で発行する場合，募集事項の決定において定めればよく（238条1項2号2項，240条1項），定款の定めは必要ない。

<15Ⅱ-05>

A07 × 「当然に」⇒「一定の場合」

募集新株予約権と引換えに金銭の払込みを要しないこととする場合（＝無償発行）において（238条1項2号），金銭の払込みを要しないこととすることが当該者に特に有利な条件であるときに，公開会社においては株主総会の特別決議が必要となる（240条1項）。

A08 ○

245条1項。

<12Ⅰ-06><16Ⅰ-06><17Ⅱ-07><22Ⅰ-07>
<23Ⅱ-07>

A09 ○

246条1項。なお，払込期日とは，新株予約権を行使できる期間（236条1項4号）の初日の前日，または別途定められた払込期日（238条1項5号）を指す（246条1項）。また，払込みは，会社が定めた銀行等の払込取扱場所において行う（246条1項）。

A10 ○

246条3項。

Q11 新株予約権者が，払込期日までに払込金額の全額の払込みをしないときは，払込期日が経過した時点で，新株予約権は消滅する。

Q12 株式会社は，株主に対して新たに払込みをさせないで当該株式会社の新株予約権の割当てをすることができない。

Q13 譲渡による新株予約権の取得について株式会社の承認を要することとするときは，定款にその旨を定めなければならない。

Q14 新株予約権者は，社債部分が消滅しない限り，新株予約権付社債に付された新株予約権のみを譲渡することはできないが，新株予約権付社債に付された新株予約権のみに質権を設定することはできる。

Q15 新株予約権の行使は，①その行使に係る新株予約権の内容及び数と，②新株予約権を行使する日を明らかにしてしなければならない。

Q16 金銭を新株予約権の行使に際してする出資の目的とするときは，新株予約権者は，権利行使日に株式会社が定めた銀行等の払込みの取扱いの場所において募集事項で定められた出資の価額の全額を払い込まなければならない。

A11　○

246条3項，287条。

A12　×「できない」⇒「できる」

277条。

A13　×「定めなければならない」⇒「定める必要はない」

新株予約権の譲渡制限をするかどうかは，募集の都度，決めることができる（236条1項6号, 238条1項1号）。
<11Ⅰ-06><12Ⅰ-06><15Ⅱ-05>

A14　×「質権を…できる」⇒「質権を…できない」

254条2項，267条2項。<06-07><08-06><11Ⅰ-06>
<12Ⅱ-07><17Ⅱ-07><24Ⅰ-16>

A15　○

280条1項。

A16　○

281条1項，236条1項2号。

Q17 新株予約権者は，株式会社の承諾を得て，募集新株予約権の払込金額の全額の払込みに代えて，払込金額に相当する当該株式会社に対する債権をもって相殺することができる。

Q18 新株予約権を行使した新株予約権者は，当該新株予約権を行使した日に，当該新株予約権の目的である株式の株主となる。

Q19 会社は自己新株予約権を行使して，自己株式を取得することができる。

Q20 新株予約権の発行が法令若しくは定款に違反し又は著しく不公正な方法により行われ，会社に著しい損害を及ぼすおそれがある場合には，株主は新株予約権の発行の差止めを請求できる。

Q21 新株予約権の発行に無効原因がある場合には，新株予約権の発行の無効の訴えをもってのみ無効を主張できる。

5-3 社　債

Q01 持分会社は，社債を発行することができる。

A17 ○

246条2項。 ＜14Ⅰ-06＞＜20Ⅱ-07＞

A18 ○

282条1項。 ＜11Ⅰ-06＞＜23Ⅱ-07＞

A19 × 「できる」⇒「できない」

株式会社は，自己新株予約権を行使することができない（280条6項）。 ＜06-07＞

A20 × 「会社に著しい損害を及ぼす」

⇒「株主が不利益を受ける」

247条。

A21 ○

828条1項4号。

A01 ○

2条23号にいう「会社」には，株式会社・合名会社・合資会社・合同会社（2条1号）が含まれる。

＜06-08＞＜15Ⅱ-13＞＜20Ⅱ-16＞＜24Ⅱ-15＞

Q02 株式会社が社債を募集する場合には，株主総会の決議が必要である。

Q03 会社は，募集社債の償還の方法及び期限を定めなければ，募集社債を発行することはできない。

Q04 会社は，募集社債の総額について割当てを受ける者を一定の日までに定めていない場合には，当該募集社債の全部を発行しない旨を，当該募集社債に関する事項として定めることができる。

Q05 公開会社において社債を募集する場合，募集社債に関する事項のうち募集社債の総額の決定について，取締役会は代表取締役に委任することができる。

Q06 同一の会社で，社債券が発行されている社債と発行されていない社債とが併存してもよい。

A02 × 「**株主総会の決議**」
⇒「**取締役又は取締役会の決定**」

社債の発行は業務の執行にあたる行為であるから，基本的には業務執行機関の決定事項である。したがって取締役が決定する（348条1項2項）。取締役会設置会社では取締役会が決定する（362条4項5号，676条1号，会社法施行規則99条）。

＜06-08＞＜14Ⅰ-15＞＜17Ⅱ-16＞＜20Ⅱ-16＞

A03 ○

676条4号。 ＜12Ⅱ-15＞

A04 ○

676条11号。 ＜10Ⅱ-16＞＜15Ⅱ-13＞

A05 × 「できる」⇒「できない」

募集社債の総額その他重要な事項として法務省令で定める事項（会社法施行規則99条）は，取締役会で定めなければならない（362条4項5号）。 ＜14Ⅰ-15＞

A06 ○

社債券を発行するかどうかは，発行する社債を引き受ける者の募集をしようとするその都度，会社が決定する（676条6号）。 ＜06-08＞＜17Ⅱ-16＞

Q07 複数の会社による合同発行は，株式については認められていないが社債については認められている。

Q08 株式については分割払込みは認められず，募集株式の引受人は払込期日又は払込期間内に払込金額の全額を払い込まなければならないが，社債の払込みについては，分割払込みを採用することが認められる。

Q09 会社は，募集社債と引換えにする金銭の払込みに代えて金銭以外の財産を給付する旨の契約を締結することはできない。

Q10 無権利者から善意で，かつ重大な過失なく社債券の交付を受けた者は，当該社債券に係る社債についての権利を取得する。

Q11 社債の償還請求権及び社債の利息の請求権は，これを行使することができる時から５年間行使しないときは，時効によって消滅する。

A07 ○

社債の合同発行（676条12号，会社法施行規則162条2号）は，１つの会社だけでは信用が低い場合でも社債の発行を可能とする。他面，合同発行の社債総額について各会社が連帯債務を負担する点で（会社法5条，商法511条1項），投資家にとっても有利である。 <12Ⅱ-15>

A08 ○

208条1項，676条12号，会社法施行規則162条1号。

<07-06><12Ⅱ-15>

A09 × 「できない」⇒「できる」

676条12号，会社法施行規則162条3号。 <12Ⅱ-15>

A10 ○

689条2項。 <13Ⅰ-14><17Ⅱ-16>

A11 × （償還請求権につき）「５年」⇒「10年」

償還請求権は10年（701条1項），利息支払請求権は５年（701条2項）の消滅時効にかかる。

<13Ⅰ-14><23Ⅰ-16>

Q12 各社債の金額が１億円以上の社債を募集する場合には，社債管理者を定めることを要しない。

Q13 社債管理者になれるのは，銀行，信託会社又はこれらに準ずるものとして法務省令で定める者に限られる。

Q14 社債管理者は社債権者のために弁済を受け，又は社債に係る債権の実現を保全するために必要な一切の裁判上又は裁判外の行為をする権限を有する。

Q15 社債管理者が，社債全部について支払の猶予をするには，社債権者集会の決議が必要である。

Q16 社債管理者は，いかなる場合であろうとも社債権者集会の決議によらなければ，社債発行会社の破産手続開始の申立てをすることができない。

A12 ○

各社債の金額が1億円を下らない場合およびある種類の社債の総額を当該種類の各社債の金額の最低額をもって除した数が50を下回る場合には，社債管理者を設置しなくてもよい（702条ただし書，会社法施行規則169条）。

<07-06><11Ⅱ-16><17Ⅰ-15><19Ⅰ-16><21-16>

A13 ○

703条，会社法施行規則170条。

<11Ⅱ-16><16Ⅰ-14><19Ⅱ-16><21-16>

A14 ○

705条1項。 <11Ⅱ-16><17Ⅰ-15><20Ⅱ-16>

A15 ○

706条1項1号。 <16Ⅰ-14>

A16 **× 「いかなる場合であろうとも」⇒「原則として」**

募集事項の決定で，社債権者集会の決議によらずに706条1項2号に掲げる行為をすることができる旨を定めた場合には例外となる（706条1項ただし書・676条8号）。

<06-08><20Ⅰ-16>

Q17　社債管理者は，その権限を行使するため必要があるときは，いつでも社債発行会社の業務及び財産の状況を調査することができる。

Q18　社債管理者と社債権者との間には契約関係はないが，社債管理者は社債権者のために公平かつ誠実に社債の管理をし，社債権者に対して善良な管理者としての注意義務を負う。

Q19　社債管理者は社債権者に対して善管注意義務を負うから，この義務に違反して社債権者に損害を与えた場合，社債管理者は社債権者に対して損害賠償責任を負う。

Q20　社債管理者は，社債発行会社及び社債権者集会の同意を得て辞任することができる。

Q21　社債管理者は，社債発行会社又は社債権者集会の同意を得られなかった場合であっても，やむを得ない事由があるときは，いつでも，辞任することができる。

Q22　裁判所は，社債管理者がその義務に違反したとき，その事務処理に不適任であるときその他正当な理由があるときは，社債発行会社又は社債権者集会の申立てにより，当該社債管理者を解任することができる。

A17　×　「いつでも」⇒「裁判所の許可を得て」

社債管理者が社債発行会社の業務および財産の状況を調査するには，裁判所の許可を得る必要がある（705条4項）。　＜16Ⅰ-14＞＜24Ⅱ-16＞

A18　○

704条1項2項。　＜11Ⅱ-16＞＜17Ⅰ-15＞＜21-16＞

A19　○

710条1項。

A20　○

711条1項。

A21　×　「いつでも」⇒「裁判所の許可を得て」

711条3項。　＜13Ⅱ-15＞＜16Ⅰ-14＞＜19Ⅱ-16＞

A22　○

713条。　＜16Ⅰ-14＞＜21-16＞

Q23　社債発行会社は，社債管理者を設置した場合でも，社債権者のために，社債の管理の補助を行う社債管理補助者を設置することができる。

Q24　社債管理補助者になることができる者は，社債管理者の資格を有する者に限られる。

Q25　社債管理補助者は，社債権者のために破産手続に参加する権限を有する。

Q26　社債管理補助者は，社債権者集会の決議によらずに，社債発行会社が社債の総額について期限の利益を喪失することとなる行為をする権限を有する。

Q27　社債管理補助者は，社債権者のために公平かつ誠実に，及び，社債権者に対し善良な管理者の注意をもって，社債の管理の補助を行わなければならない。

Q28　会社が２種類以上の社債を発行している場合には，すべての種類の社債権者は，単一の社債権者集会を組織する。

A23 × 「できる」⇒「できない」

社債管理補助者を設置することができるのは，社債管理者が設置されない場合（702条ただし書）である（714条の2本文）。

A24 × 「限られる」⇒「弁護士・弁護士法人も含む」

社債管理補助者の資格は，社債管理者の資格（703条，会社法施行規則170条）を有する者のほか，弁護士・弁護士法人も含む（714条の3，会社法施行規則171条の2）。

A25 ○

714条の4第1項1号。 <22Ⅰ-17>

A26 × 「有する」⇒「有しない」

714条の4第3項2号。 <22Ⅰ-17>

A27 ○

714条の7・704条。 <22Ⅰ-17>

A28 × 「単一の」⇒「種類ごとに」

715条。 <13Ⅱ-15><16Ⅱ-16>

Q29 ある種類の社債の総額（償還済みの額を除く。）の10分の１以上に当たる社債を有する社債権者は，社債発行会社，社債管理者又は社債管理補助者に対し，社債権者集会の目的である事項及び招集の理由を示して，社債権者集会の招集を請求することができる。

Q30 社債権者集会は，会社法に規定する事項及び社債権者の利害に関する事項について決議をすることができる。

Q31 社債権者は，社債権者集会において，その有する当該種類の社債の金額の合計額（償還済みの額を除く。）に応じて議決権を有する。

Q32 社債発行会社は，その有する自己の社債について社債権者集会で議決権を行使することができる。

Q33 社債権者集会では，代理人による議決権行使や書面による議決権行使は認められない。

Q34 社債権者集会の決議は，裁判所の認可を受けなければ，その効力を生じない。

Q35 社債権者集会の決議には，株主総会の決議の省略のような，社債権者集会の決議の省略の制度は存在しない。

A29 ○

718条1項。 ＜13Ⅱ-15＞＜22Ⅱ-15＞

A30 ○

716条。 ＜11Ⅰ-16＞＜18Ⅰ-16＞＜24Ⅱ-16＞

A31 ○

723条1項。 ＜09-17＞＜18Ⅰ-16＞

A32 × 「できる」⇒「できない」

723条2項。 ＜11Ⅰ-16＞＜16Ⅱ-16＞

A33 × 「認められない」⇒「認められる」

725条1項，726条1項。 ＜12Ⅰ-16＞＜14Ⅰ-15＞
＜14Ⅱ-13＞＜18Ⅰ-16＞＜19Ⅱ-16＞＜22Ⅱ-15＞

A34 ○

734条1項。なお，735条の2第1項4項参照。
＜11Ⅰ-16＞＜14Ⅱ-13＞＜20Ⅰ-16＞

A35 × 「存在しない」⇒「存在する」

735条の2第1項。

Q36 社債権者集会においては，その決議によって当該種類の社債の総額（償還済みの額を除く。）の1,000分の１以上に当たる社債を有する社債権者の中から，１人又は２人以上の代表社債権者を選任し，これに社債権者集会において決議をする事項についての決定を委任することができる。

Q37 社債権者集会に関する費用は，社債権者全員で負担しなければならない。

Q38 株主総会の招集手続が法令に違反する場合には株主総会の決議の取消しの訴えの制度があるが，社債権者集会の招集手続が法令に違反する場合には社債権者集会の決議の取消しの訴えの制度はない。

A36 ○

736条1項。なお,724条2項2号参照。

<14Ⅱ-13><19Ⅰ-16>

A37 × 「社債権者全員」⇒「社債発行会社」

742条1項。 <11Ⅰ-16><16Ⅱ-16>

A38 ○

社債権者集会は，裁判所の認可によって効力を生じ(734条1項)，招集手続等の違法は決議の不認可事由とされている（733条1号)。それゆえ，株主総会の決議の取消しの訴え（831条1項）に対応する社債権者集会の決議の取消しの訴えの制度はない。

<09-17><13Ⅰ-14><14Ⅰ-15><16Ⅱ-16>
<19Ⅱ-16><22Ⅱ-15>

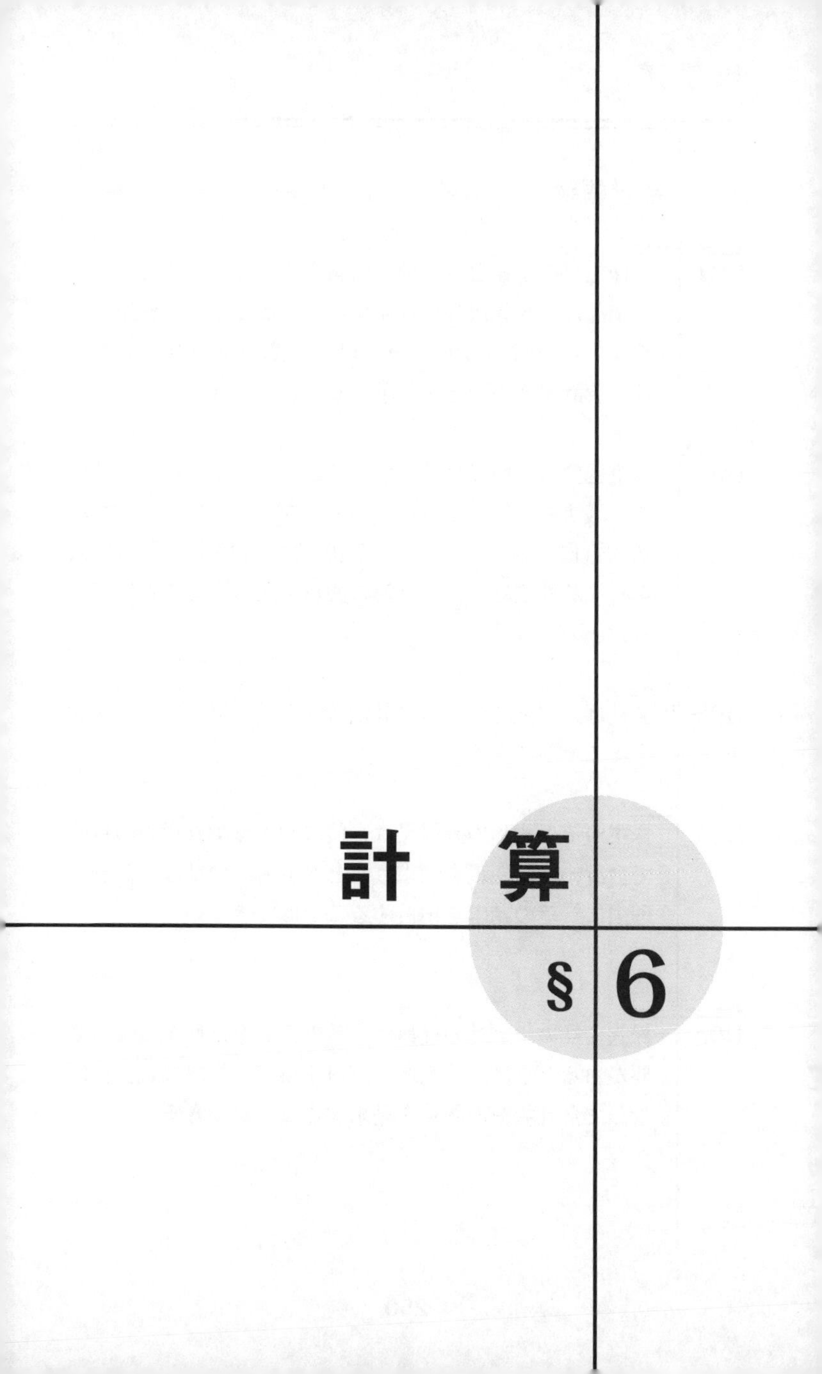

計算

§6

6−1 会計帳簿

Q01 総株主（株主総会において決議をすることができる事項の全部につき議決権を行使することができない株主を除く。）の議決権の100分の３以上の議決権を有する株主は，会計帳簿の閲覧を請求することができる。

Q02 株主総会において決議をすることができる事項の全部につき議決権を行使することができない株主でも，発行済株式（自己株式を除く。）の100分の３以上の数の株式を有する株主は，会計帳簿の閲覧を請求することができる。

Q03 会社は，定款で株主の会計帳簿閲覧請求権の要件を緩和することができる。

Q04 株主がその権利の確保又は行使に関する調査以外の目的で会計帳簿の閲覧を請求したときでも，会社は，これを理由に，その請求を拒否することはできない。

Q05 株式会社の子会社の社員は，その権利を行使するため必要があるときは，裁判所の許可を得て，当該株式会社に対して会計帳簿の閲覧を請求することができる。

A01　○

433条1項。　<06-16><17Ⅰ-07><17Ⅱ-14>

A02　○

433条1項。

<06-16><17Ⅰ-07><17Ⅱ-14><24Ⅰ-14>

A03　○

433条1項。　<06-16>

A04　×　「できない」⇒「できる」

433条2項1号。なお，請求を拒絶できる事由につき，433条2項1号～5号4項参照。　<06-16><13Ⅰ-13>
<15Ⅱ-11><17Ⅱ-14>

A05　×　「子会社の社員」⇒「親会社の社員」

433条3項。　<11Ⅰ-14><13Ⅰ-13><17Ⅱ-14>

Q06 株式会社の債権者は，当該株式会社に対し，裁判所の許可を得て，会計帳簿の閲覧等の請求をすることができる。

6−2 計算書類等

Q01 株式会社には，各事業年度に係る計算書類，事業報告，これらの附属明細書の作成が義務づけられている。

Q02 計算書類とは，貸借対照表，損益計算書，株主資本等変動計算書，個別注記表をいう。

Q03 監査役が設置されている取締役会設置会社においては，計算書類及び事業報告は取締役会の承認を経たうえで監査役の監査を受けなければならない。

Q04 会計監査人設置会社の計算書類及びその附属明細書は，監査役（監査等委員会設置会社にあっては監査等委員会，指名委員会等設置会社にあっては監査委員会）及び会計監査人の監査を受けなければならない。

Q05 会計監査人設置会社の事業報告については，会計監査人の監査を受ける必要はない。

A06　**×　「できる」⇒「できない」**

会計帳簿の閲覧等の請求は，株主（433条1項）と親会社社員（433条3項）に限られている。

＜06-16＞＜13Ⅰ-13＞＜15Ⅱ-11＞

A01　**○**

435条2項。　＜06-15＞

A02　**○**

435条2項，会社計算規則59条１項。

＜15Ⅰ-15＞＜24Ⅰ-14＞

A03　**×　「取締役会の承認」「監査役の監査」**
⇒「監査役の監査」「取締役会の承認」

監査役の監査が取締役会の承認に先行する（436条3項）。

＜06-15＞＜19Ⅱ-14＞

A04　**○**

436条2項1号。

＜06-15＞＜12Ⅱ-13＞＜16Ⅰ-13＞＜24Ⅰ-14＞

A05　**○**

436条2項2号。　＜06-15＞＜09-15＞＜11Ⅱ-14＞
＜16Ⅰ-13＞＜19Ⅱ-14＞

Q06 取締役会設置会社においては，定時株主総会の招集の通知に際して株主に対し取締役会の承認を受けた計算書類及び事業報告を提供しなければならない。

Q07 取締役は計算書類と事業報告を定時株主総会に提出して，計算書類については株主総会の承認を受け，事業報告についてはその内容を報告しなければならない。

Q08 株式会社は，法務省令で定めるところにより，定時株主総会の終結後遅滞なく貸借対照表を公告しなければならない。

Q09 計算書類の公告が電子公告の方法による場合には貸借対照表の全文を公告しなければならないが，官報又は時事に関する事項を掲載する日刊新聞紙への掲載を公告方法とする場合には貸借対照表の要旨を公告することで足りる。

Q10 株式会社に対して計算書類の閲覧又は謄写を請求する権利は，少数株主権である。

Q11 会社の親会社社員が，会社の計算書類の閲覧を請求するには，裁判所の許可を得る必要がない。

A06　○

437条。なお，299条2項2号3項参照。

＜07-09＞＜09-15＞＜11Ⅱ-14＞＜12Ⅱ-13＞
＜14Ⅱ-10＞＜16Ⅰ-13＞＜16Ⅱ-14＞＜19Ⅱ-14＞

A07　○

438条。なお，会計監査人設置会社の特例について，439条参照。

＜11Ⅱ-14＞＜12Ⅱ-13＞＜16Ⅰ-13＞＜24Ⅰ-14＞

A08　○

440条1項。なお，大会社にあっては，貸借対照表および損益計算書である。　＜16Ⅰ-13＞

A09　○

440条2項，939条1項1号2号。　＜10Ⅱ-13＞

A10　**×　「少数株主権」⇒「単独株主権」**

442条3項。

A11　**×　「必要がない」⇒「必要がある」**

442条4項。　＜11Ⅰ-14＞

Q12 株主又は会社債権者から計算書類の閲覧請求があったときでも，請求者が当該株式会社の業務と実質的に競争関係にある事業を営むものであれば，それを理由にして当該会社は閲覧請求を適法に拒むことができる。

Q13 会計監査人設置会社であれば，各事業年度に係る連結計算書類を作成することができる。

Q14 事業年度の末日において大会社であって有価証券報告書を提出しなければならないものは，各事業年度に係る連結計算書類を作成しなければならない。

Q15 連結計算書類は，法務省令で定めるところにより，監査役（監査等委員会設置会社にあっては監査等委員会，指名委員会等設置会社にあっては監査委員会）及び会計監査人の監査を受けなければならない。

Q16 連結計算書類を作成した取締役会設置会社においては，監査を受けた連結計算書類は，取締役会の承認を受けなければならない。

Q17 連結計算書類は，定時株主総会の承認を受けなければならない。

A12　×　「できる」⇒「できない」

計算書類の閲覧等（442条3項4項）については，会計帳簿（433条2項4項）のように閲覧等を拒絶できる事由は規定されていない。<09-15><16Ⅱ-14><17Ⅱ-14>

A13　○

444条1項。　<07-16><15Ⅱ-12><22Ⅰ-14>

A14　○

444条3項。　<07-16><18Ⅱ-14>

A15　○

444条4項。　<15Ⅱ-12><18Ⅱ-14><22Ⅰ-14>

A16　○

444条5項。　<07-16>

A17　×　「承認を受けなければならない」

⇒「報告しなければならない。」

444条7項。

<07-16><15Ⅱ-11><18Ⅱ-14><22Ⅰ-14>

6-3 資本金と準備金

Q01 株式会社は，資本金の額を登記しなければならない。

Q02 設立に際して株主となる者が払い込んだ金額は，その全額を資本金としなければならない。

Q03 株式会社が剰余金の配当をする場合には，法務省令で定めるところにより，当該剰余金の配当により減少する剰余金の額に10分の１を乗じて得た額を，利益準備金として計上しなければならない。

Q04 株式会社が保有する自己株式を処分した場合には，処分の対価の額だけ資本金の額が増加する。

A01　○

911条3項5号。　<13Ⅱ-13><18Ⅰ-14><23Ⅰ-14>

A02　**×　「ならない」⇒「ならないわけではない」**

資本金の額は，原則として設立または株式の発行に際して株主となる者が会社に対して払込み・給付をした財産の額の総額である（445条1項）。しかし例外として，払込み・給付に係る額の２分の１を超えない額は資本金として計上せず，資本準備金とすることができる（445条2項3項）。　<12Ⅰ-14>

A03　**×　「利益準備金」⇒「資本準備金又は利益準備金」**

445条4項。　<23Ⅰ-14>

A04　**×　「増加する」⇒「増加しない」**

新株発行の場合には，資本金が増加するが（445条1項），自己株式の処分は「株式の発行」ではないので資本金の額は増加しない。なお，199条1項5号参照。

<08-17><11Ⅱ-06><12Ⅰ-14><13Ⅱ-13>
<17Ⅰ-14><18Ⅰ-14>

Q05 株式会社が資本金の額を減少する場合，減少する資本金の額は，当該資本金の額の減少がその効力を生ずる日における資本金の額を超えてはならない。

Q06 資本金の額の減少をするには，原則として株主総会の特別決議が必要である。

Q07 取締役会設置会社が株式の発行と同時に資本金の額を減少する場合に，資本金の額の減少の効力発生日後の資本金の額が，効力発生日前の資本金の額を下回らないとき，資本金の額の減少は取締役会の決議により決定する。

Q08 株式会社が資本金の額を減少する場合には，債権者に異議を述べる機会を与えなければならない。

Q09 資本金の額を減少するには債権者異議手続をとる必要があるが，資本準備金の額の減少については債権者異議手続をとる必要がない場合がある。

A05　○

447条2項。　＜12Ⅰ-14＞＜18Ⅰ-14＞

A06　○

447条1項，309条2項9号。　＜08-17＞＜23Ⅰ-05＞

A07　○

447条3項。　＜08-17＞＜16Ⅰ-12＞＜17Ⅰ-14＞
＜18Ⅱ-15＞＜20Ⅱ-14＞

A08　○

449条。　＜08-17＞＜11Ⅰ-13＞＜17Ⅰ-14＞
＜22Ⅱ-14＞＜23Ⅰ-05＞

A09　○

資本準備金の額の減少については，減少する準備金の額の全部を資本金とする場合（449条1項かっこ書），欠損てん補に使われる場合（449条1項ただし書）には，例外的に債権者異議手続をとる必要がない。

＜11Ⅰ-13＞＜16Ⅰ-12＞＜17Ⅰ-14＞＜18Ⅱ-15＞
＜22Ⅱ-14＞

Q10 資本金の額を減少するには株主総会の決議が必要であるが，資本準備金の額の減少については，取締役会設置会社にあっては，原則として取締役会の決議によって行うことができる。

Q11 資本金の額の減少手続に瑕疵がある場合における無効は，資本金の額の減少が効力を生じた日から６箇月以内に，訴えをもってのみ主張することができる。

Q12 資本金の額の減少を無効とする判決は，その効力が遡及する。

Q13 取締役会設置会社においては，取締役会の決議で剰余金の額を減少して資本金又は資本準備金の額を増加することができる。

6−4 剰余金の配当等

Q01 株式会社の純資産額が300万円を下回る場合には，剰余金の配当をすることができない。

Q02 株式会社が剰余金の配当をしようとするときは，その都度，原則として株主総会の普通決議によって配当財産の種類及び帳簿価額の総額，株主に対する配当財産の割当てに関する事項，当該剰余金の配当がその効力を生ずる日を定めなければならない。

A10　×　**「取締役会の決議」⇒「株主総会の普通決議」**

資本準備金の額の減少は，株主総会の普通決議によって行うのが原則である（448条1項，309条1項）。

＜12Ⅰ-14＞

A11　○

828条1項5号。　＜16Ⅰ-12＞＜23Ⅰ-14＞

A12　×　**「遡及する」⇒「遡及しない」**

資本金の額の減少を無効とする判決の遡及効は否定されている（839条，834条5号）。　＜11Ⅰ-13＞＜18Ⅱ-15＞

A13　×　**「取締役会の決議」⇒「株主総会の普通決議」**

450条，451条，309条1項。

＜12Ⅰ-14＞＜13Ⅱ-13＞＜18Ⅰ-14＞＜23Ⅰ-14＞

A01　○

458条。

＜10Ⅱ-14＞＜16Ⅱ-15＞＜21-14＞＜23Ⅱ-14＞

A02　○

454条1項，309条1項。

Q03 株式会社は，当該株式会社の新株予約権を配当財産とすることができない。

Q04 株式会社は，事業年度中に回数の制限なく剰余金の配当を行うことができる。

Q05 取締役会設置会社は，１事業年度の途中において１回に限り取締役会の決議によって剰余金の配当をすることができる旨を定款で定めることができる。

Q06 ①会計監査人設置会社であること，②取締役の任期の末日が選任後１年以内に終了する事業年度のうち最終のものに関する定時株主総会の終結の日後の日でないこと，③監査役会設置会社，監査等委員会設置会社又は指名委員会等設置会社であることのいずれかの要件を満たす会社は，剰余金の配当に関する事項を取締役会で決定できる旨を定款で定めることができる。

A03　〇

当該株式会社の株式等（＝株式・社債・新株予約権をいう。107条2項2号ホ）は，配当財産とすることができない（454条1項1号かっこ書）。＜10Ⅱ-14＞＜14Ⅰ-12＞＜16Ⅱ-15＞＜17Ⅱ-13＞＜21-14＞＜23Ⅱ-14＞

A04　〇

旧商法では，１事業年度１回の利益配当という回数制限があったが（旧商法281条1項4号，283条1項），会社法では剰余金の配当の回数制限が撤廃された（会社法453条，454条1項参照）。

A05　〇

中間配当（454条5項）。剰余金の配当は株主総会で決定するのが原則であり，中間配当は決定機関の特則と位置づけられる。なお，中間配当は配当財産が金銭であるものに限る（454条5項かっこ書）。

＜10Ⅱ-14＞＜14Ⅰ-12＞＜17Ⅱ-13＞＜21-14＞

A06　**×　「いずれかの要件」⇒「３つの要件」**

459条1項柱書。459条1項4号ただし書にも注意。なお，監査等委員会設置会社については459条1項柱書かっこ書参照。＜08-18＞＜14Ⅰ-12＞＜16Ⅱ-15＞

Q07 剰余金の配当を取締役会が決定する旨の定款の定めがある場合には，株主総会には当然に剰余金の配当に関する事項の決定権限が一切ない。

Q08 配当財産が金銭以外の財産であるときは，株主に対して金銭分配請求権を与える場合を除き，株主総会の特別決議を要する。

Q09 配当財産が金銭以外の財産であるときは，株主総会の特別決議によって一定数未満の数の株式を有する株主に対して配当財産の割当てをしない旨を定めることができる。

Q10 公開会社でない株式会社において，株主からの譲渡等承認請求に対して，会社が譲渡を認めずに当該株式を買い取る場合には，自己の株式の取得の対価として支払う金銭の総額は，分配可能額を超えてはならない。

Q11 株式会社が市場取引によって自己の株式を取得する場合には，当該取得の対価として支払う金銭の総額は，当該取得がその効力を生ずる日における分配可能額を超えてはならない。

A07　**×　「当然に」⇒「定款で定めた場合」**

株主総会の決議によっては定めない旨を特に定款で定めた場合に，総会の権限がなくなる（460条1項）。

＜08-18＞＜23Ⅱ-14＞

A08　○

309条2項10号。なお，454条4項1号，459条1項4号参照。

＜07-17＞＜10Ⅱ-14＞＜14Ⅰ-12＞＜17Ⅱ-13＞
＜21-14＞＜23Ⅱ-14＞

A09　**×　「株主総会の特別決議」⇒「株主総会の普通決議」**

454条4項2号。　＜07-17＞

A10　○

461条1項1号。

＜08-05＞＜11Ⅱ-15＞＜18Ⅰ-15＞＜24Ⅱ-14＞

A11　○

461条1項２号。　＜08-05＞

Q12 株式会社が，その発行する全部の株式の内容として株式の譲渡に当該株式会社の承認を要する旨の定めを設ける定款の変更をする場合において，反対株主からその有する株式を買い取ることを請求されたとき，自己の株式の取得の対価として支払う金銭の帳簿価額の総額は，分配可能額を超えてはならない。

Q13 合併に反対する株主からの株式買取請求に応じる場合に，自己の株式の取得の対価として支払う金銭の帳簿価額の総額は，分配可能額を超えてはならない。

Q14 分配可能額が無いにもかかわらず剰余金の配当がなされた場合，株主（金銭等の交付を受けた者）は会社に対して，交付を受けた金銭等の帳簿価額に相当する金銭を支払う義務を負う。

Q15 違法配当に関する職務を行った業務執行者は，違法配当による金銭等を交付した取締役を除き，その職務を行うについて注意を怠らなかったことを証明したときは，交付された金銭等の帳簿価額に相当する金銭を支払う義務を負わない。

Q16 違法配当に関する職務を行った業務執行者が，当該株式会社に対し，当該配当財産の帳簿価額に相当する金銭を支払う義務は，総株主の同意がある場合は，当該剰余金配当の時における分配可能額を限度として免除することができる。

A12　×「超えてはならない」⇒「超えてもよい」

反対株主の株式買取請求については，財源規制は設けられていない。　<08-05><11Ⅱ-15>

A13　×「超えてはならない」⇒「超えてもよい」

反対株主の株式買取請求については，財源規制は設けられていない。

<08-05><13Ⅰ-16><13Ⅱ-15><20Ⅰ-15>

A14　○

462条1項。　<16Ⅱ-15><19Ⅰ-14>

A15　×「除き」⇒「含め」

462条2項。　<14Ⅱ-16><19Ⅰ-14>

A16　○

462条3項。　<14Ⅱ-16><19Ⅰ-14>

Q17 分配可能額が無いにもかかわらず剰余金の配当がなされた場合，当該行為に関する職務を行った業務執行者が会社に対し，当該行為により金銭等の交付を受けた者が交付を受けた金銭等の帳簿価額に相当する金銭を支払う義務を果たしたときは，すべての株主に対して求償することができる。

Q18 分配可能額が無いにもかかわらず剰余金の配当がなされた場合，会社債権者は，当該行為により金銭等の交付を受けた株主に対し，その交付を受けた金銭等の帳簿価額に相当する金銭を当該債権者が会社に対して有する債権額の範囲内で支払うよう請求することができる。

A17　×　**「すべての株主」⇒「悪意の株主」**

分配可能額を超えることにつき善意の株主には求償できない（463条1項）。　＜14Ⅱ-16＞

A18　○

463条2項。　＜14Ⅱ-16＞＜19Ⅰ-14＞

組織再編

§ 7

7−1　事業譲渡等

Q01　株式会社がその事業の全部ではなく一部のみを譲渡する場合であれば，取締役会決議のみで行うことができる。

Q02　株式会社間の事業譲渡において，譲渡会社の事業の重要な一部を譲り受ける場合には，譲受会社においては株主総会の決議を必要としない。

Q03　株式会社が個人商人の営業の全部を譲り受ける場合には，株主総会の特別決議を必要としない。

Q04　他の会社の事業全部の譲受けであっても，株主総会の特別決議が不要な場合がある。

7

A01　×　「できる」⇒「できない場合もある」

事業の一部の譲渡であっても「重要な一部」にあたる場合には株主総会の特別決議が必要である（467条1項2号，309条2項11号）。　<16Ⅱ-17>

A02　○

譲受会社において，株主総会の決議を必要とするのは他の会社の事業の全部の譲受けの場合である（467条1項3号）。　<12Ⅰ-17><17Ⅰ-16><22Ⅱ-16>

A03　○

事業全部の譲受けに関して株主総会特別決議が必要なのは，「他の会社（外国会社その他の法人を含む）」の事業の全部の譲受けの場合だけである（467条1項3号）。

<13Ⅰ-16><15Ⅰ-14><17Ⅰ-16>

A04　○

略式の事業譲渡（468条1項），簡易の事業譲渡（468条2項）の場合には，株主総会の特別決議は不要である。

<08-15><16Ⅱ-17><22Ⅱ-16>

Q05 親会社が子会社株式の一部を譲渡する場合において，譲渡株式の帳簿価額が当該親会社の総資産額として法務省令で定める方法により算定される額の５分の１を超えるが，譲渡の効力発生日においてもなお当該親会社が当該子会社の議決権の総数の過半数を有するときは，当該親会社では当該株式の譲渡に係る契約を承認する株主総会の決議を要しない。

Q06 株式会社がその事業の全部を賃貸するには，効力発生日の前日までに，株主総会の特別決議によって当該賃貸に係る契約の承認を受けなければならない。

Q07 事業譲渡等の承認決議をする株主総会において議決権を行使することができる株主は，当該株主総会に先立って当該事業譲渡等に反対する旨を当該株式会社に対し通知しておけば，株主総会において反対しなくても，株式の買取りを会社に対して請求することができる。

Q08 事業譲渡等の承認決議をする株主総会において議決権を行使することができない株主は，当該事業譲渡等に反対する旨を当該株式会社に対し通知しなくても，株式買取請求権を行使できる。

A05　○

467条1項2号の2。子会社株式・持分の譲渡が，事業の重要な一部の譲渡（467条1項2号）と同様に規制されるための要件（467条1項2号の2イロ）に注意。

＜16Ⅱ-17＞＜22Ⅱ-16＞

A06　○

467条1項4号，309条2項11号。

＜13Ⅰ-16＞＜17Ⅰ-16＞

A07　×　「できる」⇒「できない」

株主総会において議決権を行使することができる株主が株式買取請求権を行使するには，当該株主総会に先立って当該事業譲渡等に反対する旨を当該株式会社に対し通知し，かつ当該株主総会において当該事業譲渡等に反対しなければならない（469条2項1号イ）。

A08　○

469条2項1号ロ。

Q09　事業の全部を譲渡した株式会社は解散しなければならない。

Q10　株式会社間の吸収合併においては，吸収合併消滅会社の債務は当然に吸収合併存続会社に承継されるのに対し，株式会社間の事業の全部の譲渡においては，譲渡会社が債権者の承諾を得て譲受会社に免責的債務引受をさせない限り，譲渡会社は引き続き債務を負担する。

Q11　株式会社は，その事業の全部を譲渡する場合には，会社債権者に対し，事業譲渡に異議があれば一定の期間内にこれを述べるべき旨を官報によって公告しなければならない。

A09　× **「解散しなければならない」⇒「当然には解散しない」**

事業の全部譲渡は，会社の解散事由（471条）にはあたらない。目的を変更して新たな事業を行うことも可能なので，当然には解散しない。なお，469条1項1号参照。

＜12Ⅰ-17＞＜13Ⅱ-18＞＜15Ⅰ-16＞＜18Ⅱ-17＞

A10　○

合併が組織法的に権利義務の包括承継をもたらす（2条27号28号）のとは異なり，事業の全部の譲渡は取引法上の契約であり，譲渡の対象となる権利・義務について個別に権利移転や債務引受の手続が必要である。

＜19Ⅱ-17＞

A11　× **「公告しなければならない」⇒「公告する必要はない」**

事業譲渡の場合は，債務の移転（債務引受）につき債権者の個別の承諾が必要である。それゆえ合併の場合（2条27号28号参照）と異なり，債権者異議手続は設けられていない。　＜12Ⅰ-17＞＜16Ⅱ-17＞

7−2 組織変更

Q01 合名会社から合同会社に変更するのは，組織変更ではない。

Q02 組織変更をする株式会社は，効力発生日の前日までに，組織変更計画について当該株式会社の総株主の同意を得なければならない。

Q03 組織変更をする株式会社の新株予約権の新株予約権者は，当該株式会社に対し，自己の有する新株予約権を公正な価格で買い取ることを請求することができる。

Q04 組織変更をする会社の債権者は，当該会社に対し，組織変更について異議を述べることができる。

Q05 組織変更をする持分会社は，効力発生日の前日までに必ず組織変更計画について総社員の同意を得なければならない。

A01　○

組織変更とは，会社が法人格の同一性を保ちながら，他の種類の会社に変わることである。会社法は，株式会社と持分会社（合名会社，合資会社，合同会社）相互の間で，組織変更を認めている（2条26号）。合名会社・合資会社・合同会社間の変更は，組織変更ではなく，定款の変更による持分会社の種類の変更と位置づけられている（638条）。　<10Ⅰ-16><13Ⅰ-17><18Ⅰ-17><23Ⅱ-17>

A02　○

776条1項。　<10Ⅰ-16><14Ⅱ-14><18Ⅰ-17><20Ⅰ-17><24Ⅱ-17>

A03　○

777条1項。　<14Ⅱ-14><18Ⅰ-17><24Ⅱ-17>

A04　○

779条1項，781条2項。

<10Ⅰ-16><18Ⅰ-17><23Ⅱ-15>

A05　×　**「必ず」⇒「定款に別段の定めがある場合を除いて」**

781条1項。　<20Ⅰ-17>

Q06　組織変更の無効は，訴えによらなければ主張できない。

7−3 合併，会社分割，株式交換・株式移転

1 合 併

Q01　株式会社と株式会社とが新設合併をして，合名会社を設立することができる。

Q02　会社の合併により，消滅会社の権利義務関係の一切は，存続会社又は新設会社に包括的に承継される。

Q03　株式会社間で吸収合併をする場合，吸収合併消滅株式会社の株主は当然に吸収合併存続株式会社の株主として収容されるわけではない。

A06　○

828条1項6号。　＜20Ⅰ-17＞

A01　○

755条1項2項。会社法は，すべての種類の会社間における吸収合併・新設合併を認め（748条，株式会社vs株式会社，株式会社vs持分会社，持分会社vs持分会社），存続会社または新設会社の種類も限定していない（749条～756条）。　＜11Ⅰ-18＞＜13Ⅰ-17＞＜23Ⅱ-18＞

A02　○

吸収合併につき，2条27号，750条1項，752条1項。新設合併につき，2条28号，754条1項，756条1項。

＜06-17＞

A03　○

吸収合併においては，消滅会社の株主に対し，合併契約の定めに従い，存続会社の株式を交付せず，金銭その他の財産を交付することも可能である（合併対価の柔軟化，749条1項2号）。　＜17Ⅱ-18＞

Q04　株式会社間で新設合併をする場合，すべての新設合併消滅会社の株主に一切新設合併設立株式会社の株式を交付せず，当該新設合併設立株式会社の株式以外の金銭その他の財産を交付することが認められている。

Q05　吸収合併の効力は，合併契約に定められた効力発生日にその効力を生じる。

Q06　新設合併は，合併契約に定められた日にその効力を生じる。

Q07　吸収合併消滅会社の吸収合併による解散は，吸収合併の登記の後でなければ，これをもって第三者に対抗することができない。

A04　**×「認められている」⇒「認められていない」**

吸収合併の場合（749条1項2号）と異なり，新設合併の場合にはまったく新設合併設立会社の株式が発行されないことは予定されていない（753条1項6号）。そうでなければ株主が存在しなくなる。ただし，一方の消滅会社の株主に対しては社債・新株予約権のみを交付し株式を交付しない取扱い（非株式交付消滅会社）は認められている（会社計算規則2条3項52号）。

＜13Ⅱ-17＞＜14Ⅱ-15＞＜19Ⅰ-17＞＜20Ⅰ-18＞

A05　**○**

750条1項，752条1項。　＜10Ⅱ-17＞＜13Ⅱ-16＞＜14Ⅱ-15＞＜16Ⅱ-15＞＜17Ⅰ-18＞＜24Ⅰ-17＞

A06　**×「合併契約に定められた日」**
⇒ 新設合併設立会社「成立の日」

新設合併の場合には新たに会社が設立されるので，新設合併設立会社の成立の日（＝設立登記日，49条，579条，922条）に効力が生じる（754条1項，756条1項）。

＜06-17＞＜10Ⅱ-17＞＜16Ⅰ-16＞＜17Ⅰ-16＞＜23Ⅰ-17＞

A07　**○**

750条2項。　＜23Ⅰ-17＞

Q08 合併によって，解散する株式会社は清算手続を行わなければならない。

2 会社分割

Q01 吸収分割をするには吸収分割契約を締結しなければならず，新設分割をするには新設分割計画を作成しなければならない。

Q02 会社分割により承継させるのは，株式会社又は合同会社がその事業に関して有する権利義務の一部でなければならない。

Q03 合名会社及び合資会社は，分割会社となることができない。

Q04 合同会社を分割会社とし，株式会社を承継会社とする吸収分割契約は効力を生じることはない。

Q05 持分会社は吸収分割承継会社になれないし，新設分割設立会社にもなれない。

A08　**×　「行わなければならない」⇒「行う必要はない」**

合併による解散（471条4号）の場合は，一般の解散の場合と異なり，清算手続を行う必要はない（475条1号かっこ書）。　＜23Ⅱ-17＞

A01　**○**

757条，762条1項。　＜22Ⅰ-18＞

A02　**×　「一部でなければならない」**
⇒「一部でも全部でもよい」

2条29号30号。

A03　**○**

吸収分割につき2条29号，757条。新設分割につき2条30号，762条1項。　＜09-18＞＜13Ⅰ-17＞＜23Ⅱ-18＞

A04　**×　「生じることはない」⇒「生じる」**

合同会社を分割会社とし，株式会社を承継会社とする吸収分割は有効である（2条29号，757条）。
＜07-18＞＜16Ⅰ-16＞

A05　**×　「なれない」⇒「なれる」**

持分会社を吸収分割承継会社とすること（760条，761条）も，新設分割設立会社とすること（765条，766条）もできる。　＜19Ⅱ-18＞

Q06 株式会社に権利義務を承継させる吸収分割を行う場合，承継会社が分割会社に対し金銭のみを交付し，承継会社の株式を交付しないことも可能である。

Q07 新設分割には，分割会社が１社である場合もあるが，複数の会社が分割会社となり共同して１社を設立する場合もある。

Q08 会社分割は，登記をすることによって効力を生ずる。

Q09 株式会社が会社分割をする場合，分割会社は解散する。

3 株式交換・株式移転

Q01 株式交換とは，株式会社がその発行済株式の全部を他の株式会社又は合同会社に取得させることをいう。

Q02 株式交換又は株式移転における完全子会社となるのは，株式会社に限られる。

A06　○
758条4号ロ～ホ。

A07　○
2条30号, 762条2項。　<09-18>

A08　×　「会社分割」⇒「新設分割」
吸収分割は，吸収分割契約で定められた効力発生日(758条7号，760条6号) に効力を生ずる (759条1項，761条1項)。新設分割は，新設分割設立会社の成立の日（＝設立登記，49条，579条，924条）に効力を生ずる（764条1項，766条1項)。
<10Ⅱ-17><16Ⅰ-15><17Ⅰ-18>

A09　×　「解散する」⇒「解散しない」
会社分割は，解散事由になっていない (471条参照)。
<13Ⅱ-18>

A01　○
2条31号。　<13Ⅰ-17>

A02　○
2条31号32号。　<07-18><15Ⅰ-14>

Q03 合名会社及び合資会社は，株式交換又は株式移転における完全親会社となることができない。

Q04 合同会社は，株式移転における完全親会社になることはできない。

Q05 株式交換では，完全子会社となる株式会社の株主には完全親会社となる株式会社の発行する株式を割り当てず，他の株式会社の株式を交付してもよい。

Q06 株式交換の効力は株式交換契約に定められた効力発生日に発生し，株式移転の効力は株式移転計画に定められた効力発生日に発生する。

Q07 株券発行会社が株式移転をする場合には，当該株券発行会社の株式に係るすべての株券は，当該株式移転の効力が生ずる日に無効となる。

A03　○

株式交換において完全親会社となれるのは，株式会社または合同会社である（2条31号，767条かっこ書）。株式移転において完全親会社となれるのは，株式会社だけである（2条32号，773条1項1号）。

＜10Ⅰ-18＞＜11Ⅰ-17＞＜13Ⅰ-17＞＜23Ⅱ-18＞

A04　○

2条32号，773条1項1号。

＜13Ⅰ-17＞＜16Ⅰ-17＞＜19Ⅱ-18＞＜23Ⅱ-18＞

A05　○

768条1項2号ホ。

A06　×　**「株式移転計画に定められた効力発生日」**

⇒「株式移転設立完全親会社の成立の日」

株式交換は，株式交換契約で定められた効力発生日（768条1項6号，770条1項5号）に効力を生ずる（769条1項，771条1項）。株式移転は，株式移転設立完全親会社の成立の日（＝設立登記，49条，925条）に効力を生ずる（774条1項）。

＜07-02＞＜10Ⅱ-17＞＜11Ⅰ-17＞＜17Ⅰ-18＞
＜24Ⅰ-18＞

A07　○

219条1項8号3項。　＜13Ⅱ-17＞

4 合併等の手続

Q01 株式会社間で吸収合併等をする場合，各当事会社は，吸収合併契約等備置開始日から吸収合併等の効力発生日後6箇月を経過する日（吸収合併消滅株式会社にあっては，効力発生日）までの間，吸収合併契約等の内容その他法務省令で定める事項を記載し，又は記録した書面又は電磁的記録をその本店に備え置かなければならない。

Q02 株式会社間で吸収合併（吸収分割）をする場合，各当事会社の株主及び債権者は，営業時間内であればいつでも，吸収合併契約（吸収分割契約）に関する書面等の閲覧を請求し，会社の定めた費用を支払ってその謄本又は抄本の交付等を請求できる。

Q03 株式会社間で吸収合併等をする場合，吸収合併契約等の承認決議は，原則として，各当事会社の株主総会の特別決議による。

Q04 吸収合併消滅株式会社又は株式交換完全子会社に，合併対価等の全部又は一部として，持分会社の持分等が交付される場合には，交付を受ける株主全員の同意を要する。

A01　○

事前の情報開示（782条1項，794条1項）。吸収分割または株式交換についても同様である。なお，新設合併契約等に関する書面等の備置きも同様である（803条1項）。事後の情報開示については，801条，815条参照。

＜09-18＞＜16Ⅰ-16＞＜20Ⅰ-18＞＜22Ⅰ-18＞＜24Ⅰ-17＞

A02　○

782条3項，794条3項。新設合併契約（新設分割）に関する書面の閲覧等についても同様である（803条3項）。

A03　○

783条1項，795条1項，309条2項12号。　＜15Ⅱ-15＞

A04　○

783条2項4項。譲渡性の低い対価を交付される株主の保護を図る必要があるからである。新設合併消滅株式会社についても，同様である（804条2項）。

＜07-18＞＜19Ⅱ-18＞

Q05 吸収合併消滅株式会社又は株式交換完全子会社が公開会社（種類株式発行会社を除く。）であり，かつ，当該株式会社の株主に対して交付する金銭等の全部又は一部が譲渡制限株式である場合には，吸収合併消滅株式会社又は株式交換完全子会社においては，株主総会の特殊決議が必要である。

Q06 吸収合併消滅株式会社又は株式交換完全子会社が種類株式発行会社である場合において，合併対価等の全部又は一部として，譲渡制限株式等が交付されるときは，吸収合併又は株式交換は，原則として，当該譲渡制限株式等の割当てを受ける種類株主を構成員とする種類株主総会の特殊決議がなければ，その効力を生じない。

Q07 吸収合併存続株式会社が種類株式発行会社である場合において，吸収合併の対価として，吸収合併存続株式会社の譲渡制限種類株式を交付する場合には，定款に別段の定めがある場合を除き，吸収合併は，当該譲渡制限種類株式の種類株主を構成員とする種類株主総会の特殊決議がなければ，その効力を生じない。

Q08 吸収合併消滅株式会社の株主に対して交付する吸収合併存続株式会社の株式の数に１株当たり純資産額を乗じて得た額が，吸収合併存続株式会社の純資産額として法務省令で定める方法により算定される額の５分の１を超えない場合，原則として吸収合併存続株式会社における株主総会決議が不要となる。

A05　○

783条1項，309条3項2号。譲渡性の低い対価を交付される株主の保護を図る必要があるからである。新設合併消滅株式会社・株式移転完全子会社についても，同様である（804条1項，309条3項3号）。

<13 I -18><23 I -18>

A06　○

783条3項，324条3項2号。

A07　×　**「特殊決議」⇒「特別決議」**

795条4項，324条2項6号。吸収分割承継会社，株式交換完全親会社についても同様である。譲渡制限株式の種類株主の持株比率の維持を考慮した規定である（cf. 199条4項，324条2項2号）。

A08　○

796条2項本文。なお，468条2項参照。　<16 I -16>

Q09 A社の議決権ある株式の90％以上をB社が単独で又はB社とその完全子会社が共同で保有しているような場合，B社がA社を吸収合併するには，原則としてA社における株主総会の決議が不要となる。

Q10 B社の議決権ある株式の90％以上をA社が単独で又はA社とその完全子会社が共同で保有しているような場合，B社がA社を吸収合併するには，原則としてA社における株主総会の決議が不要となる。

Q11 株式会社間での合併は株主総会の特別決議事項とされているが，当該株主総会において議決権を行使することができる株主は，あらかじめ会社に対して書面をもって当該合併に反対の意思を通知し，又は株主総会において反対をすれば株式買取請求権が認められる。

Q12 合併に反対の株主は，合併契約の承認決議を行う株主総会において議決権を行使できない議決権制限株式を有する者であっても，株式買取請求権を行使できる。

Q13 吸収分割株式会社において簡易分割の手続が認められる場合には，反対株主は，吸収分割株式会社に対し，自己の有する株式を公正な価格で買い取ることを請求することができる。

A09　○

存続会社が消滅会社の特別支配会社である場合，原則として，消滅会社における株主総会承認決議は不要（784条1項本文）。　＜08-15＞＜10Ⅱ-18＞＜15Ⅱ-15＞

A10　×　**「A社における株主総会の決議」**
⇒「B社における株主総会の決議」

消滅会社が存続会社の特別支配会社である場合，存続会社における株主総会承認決議は不要（796条1項本文）。
＜08-15＞＜10Ⅱ-18＞

A11　×　**「通知し，又は」⇒「通知し，かつ」**

承認決議を行う株主総会において議決権を行使することができる株主が株式買取請求権を行使するには，当該株主総会に先立って反対の意思を会社に通知し，かつ株主総会において反対する必要がある（785条2項1号イ，797条2項1号イ，806条1項）。　＜18Ⅱ-18＞

A12　○

785条2項1号ロ，797条2項1号ロ，806条2項2号。
＜06-17＞＜11Ⅱ-18＞＜15Ⅱ-15＞＜16Ⅰ-17＞

A13　×　**「できる」⇒「できない」**

785条1項2号。　＜14Ⅰ-16＞

Q14　吸収合併存続株式会社について，簡易合併の手続が認められる場合には，当該会社の反対株主は，株式買取請求権を有しない。

Q15　略式組織再編の手続が認められる場合，特別支配会社は株式買取請求権を有する。

Q16　新設合併における反対株主による株式買取請求に係る株式の買取りは，新設合併設立株式会社の成立の日に，その効力を生ずる。

Q17　新設合併に反対する株主が株式買取請求をした場合，当該株主は，新設合併消滅会社の承諾の有無にかかわらず，その株式買取請求を撤回することができる。

A14 ○

797条1項ただし書。簡易の組織再編（796条2項本文）が，存続会社等の株主に及ぼす影響は軽微だからである。なお，簡易な事業全部の譲受け（468条2項）の場合も同様である（469条1項2号）。

A15 × 「有する」⇒「有しない」

785条2項2号かっこ書，797条2項2号かっこ書。自らの意思で行っている以上，当然である。なお，略式事業譲渡（468条1項）の場合の特別支配会社も同様である（469条2項2号かっこ書）。 <19Ⅰ-17>

A16 ○

807条6項。なお，吸収合併の場合，株式買取請求に係る株式の買取りは，合併の効力発生日（786条6項，798条6項）に効力を生ずる。 <11Ⅱ-18><19Ⅰ-17>

A17 × 「承諾の有無にかかわらず」
⇒「承諾を得た場合に限り」

806条7項。吸収合併の場合も，株式買取請求を撤回するには，会社の承諾が必要である（785条7項，797条7項）。

<11Ⅱ-18><15Ⅱ-15><18Ⅱ-18><24Ⅰ-17>

Q18 株式会社間で吸収合併をする場合，吸収合併消滅会社の債権者は吸収合併消滅会社に対し当該吸収合併について異議を述べることができるが，吸収合併存続会社の債権者は吸収合併存続会社に対して異議を述べることができない。

Q19 株式会社間の合併に際して，債権者に対し各別に異議申立ての催告をすることを必要としない場合がある。

Q20 株式会社間で合併を行う場合に，債権者が所定の一定の期間内に異議を述べなかったときは，当該債権者は，合併について承認をしたものとみなされる。

Q21 吸収分割後，吸収分割株式会社に対して債務の履行の請求ができる吸収分割株式会社の債権者は，常に吸収分割株式会社に対し吸収分割について異議を述べることができる。

A18　× 「できない」⇒「できる」

789条1項1号，799条1項1号。

<06-17><12Ⅱ-17><19Ⅱ-17>

A19　○

官報での公告に加えて，定款の定めに従い時事に関する事項を掲載する日刊新聞紙（939条1項2号）または電子公告（939条1項3号）の方法で公告した場合は，知れている債権者への各別の催告は省略できる（789条3項，799条3項）。

A20　○

吸収合併の消滅会社の債権者につき789条4項，吸収合併の存続会社の債権者につき799条4項，新設合併の消滅会社の債権者につき810条4項。

<14Ⅱ-15><16Ⅱ-15>

A21　× 「債務の履行の請求ができる」
⇒「債務の履行の請求ができない」

分割後も分割会社に対し債権の全額を請求できる債権者については，分割会社が分割対価である株式を株主に分配しない限り，債権者異議手続の対象とはされていない（789条1項2号）。新設分割の場合も同様である（810条1項2号）。　<12Ⅱ-17><16Ⅰ-15><18Ⅰ-18>

Q22	株式会社が吸収分割をする場合において，吸収分割承継株式会社の全ての債権者は，当該吸収分割承継株式会社に対し，所定の期間内に当該吸収分割について異議を述べることができる。
Q23	株式会社が吸収分割を行う場合，官報での公告に加えて，定款の定めに従い時事に関する事項を掲載する日刊新聞紙又は電子公告の方法で公告した場合は，例外なく知れている債権者への各別の催告は省略できる。
Q24	吸収分割に際して各別の催告を受けるべき吸収分割会社の債権者は，当該催告を受けなかった場合には，吸収分割契約において吸収分割後に吸収分割会社に対して債務の履行を請求することができないものとされているときであっても，吸収分割会社に対して，吸収分割会社が効力発生日に有していた財産の価額を限度として，当該債務の履行を請求することができる。
Q25	吸収分割に際して各別の催告を受けるべき吸収分割会社の債権者は，当該催告を受けなかった場合には，吸収分割契約において吸収分割後に吸収分割承継株式会社に対して債務の履行を請求することができないものとされているときであっても，吸収分割承継株式会社に対して，承継した財産の価額を限度として，当該債務の履行を請求することができる。

A22　○

799条1項2号。　<16 I -15><19 II -17>

A23　×　**「例外なく」⇒「分割会社の不法行為債権者を除いて」**

789条3項かっこ書。新設分割の場合も同様である（810条3項かっこ書）。

A24　○

759条2項。新設分割の場合にも同様の規定がある（764条2項）。

A25　○

759条3項。新設分割の場合にも同様の規定がある（764条3項）。

Q26　株式交換又は株式移転においては，原則として債権者異議手続が必要である。

Q27　株式交換又は株式移転に際して，完全子会社は，その新株予約権付社債についての社債に係る債務を完全親株式会社に承継させるときは，その社債権者に対し債権者異議手続を行わなければならない。

Q28　株式交換に際して，完全親株式会社は，完全子会社の株主に対して完全親株式会社の株式以外の財産を交付する場合又は完全子会社の新株予約権付社債についての社債の債務を承継する場合には，原則として，債権者異議手続を行わなければならない。

Q29　合併の無効は，合併が効力を生じた日から6箇月以内に訴えによってのみ主張できる。

Q30　株式会社間で合併をする場合，合併について承認をしなかった債権者は合併無効の訴えを提起することができない。

A26　×　「必要」⇒「不要」

完全子会社となる会社は，株主の構成が変わるだけで財産には何ら変更がない。また，完全親会社となる会社は，完全子会社となる会社の株式を取得して資産が増加する。それゆえ，原則として子会社・親会社の債権者の利益が害されるおそれはない。　<12Ⅱ-17>

A27　○

789条1項3号，810条1項3号。債務者が変更するからである。<12Ⅱ-17><17Ⅱ-18><19Ⅱ-17><20Ⅱ-17>
<24Ⅰ-18>

A28　○

799条1項3号，768条1項4号ハ。株式以外の財産を交付する場合（768条1項2号ロ～ホ）または債務を承継する場合には，債権者が害されるおそれがあるからである。
<12Ⅱ-17><20Ⅱ-17>

A29　○

828条1項7号8号。分割の無効（828条1項9号10号），株式交換・株式移転の無効（828条1項11号12号），株式交付の無効（828条1項13号）も同じである。
<11Ⅰ-18><16Ⅰ-17>

A30　×　「できない」⇒「できる」

828条2項7号8号。　<12Ⅰ-18><17Ⅱ-18>

Q31 合併を無効とする確定判決は第三者に対しても効力を有する。

Q32 株式会社間での合併を無効とする判決があっても，既に存続会社及び新設会社，その株主及び第三者の間に生じた権利義務は影響を受けない。

Q33 吸収合併を無効とする判決が確定したときは，合併後の会社を合併前の当事会社に分割する処理が行われるが，無効判決確定時に存続会社が負担しているすべての債務について，消滅会社も存続会社と連帯して弁済する責任を負う。

7−4 株式交付

1 株式交付

Q01 株式交付親会社は株式会社に限定されるが，株式交付子会社は株式会社に限定されない。

A31　○

合併無効判決は，法律関係の画一的確定の要請から第三者に対してもその効力を生ずる（対世効，838条）。

＜12Ⅰ-18＞＜18Ⅰ-18＞＜24Ⅱ-18＞

A32　○

839条。　＜12Ⅱ-18＞＜18Ⅰ-18＞

A33　**×　「すべての債務」⇒「合併後負担した債務」**

消滅会社が存続会社と連帯して弁済の責任を負うのは，合併後負担した債務についてである（843条1項1号）。

＜12Ⅱ-18＞＜20Ⅰ-18＞＜24Ⅱ-18＞

A01　**×　「限定されない」⇒「限定される」**

株式交付とは，株式会社（株式交付親会社。774条の3第1項1号）が他の株式会社（株式交付子会社。774条の3第1項1号）をその子会社とするために株式交付子会社の株式を譲り受け，当該株式の譲渡人に対して当該株式の対価として株式交付親会社の株式を交付することをいう（2条32号の2）。　＜22Ⅱ-18＞

Q02 株式会社が株式交付をする場合には，株式交付契約を作成しなければならない。

Q03 株式交付の対価として，株式交付親会社の株式をまったく交付せず，それに代わる金銭等を交付することはできない。

Q04 株式交付は，株式交付計画で定めた効力発生日に生ずる。

2 株式交付の手続

Q01 株式交付親会社は，株式交付計画備置開始日から株式交付がその効力を生ずる日後6箇月を経過する日までの間，株式交付計画の内容その他法務省令で定める事項を記載し，又は記録した書面又は電磁的記録をその本店に備え置かなければならない。

Q02 株式交付親会社及び株式交付子会社は，効力発生日の前日までに，株主総会の特別決議によって，株式交付計画の承認を受けなければならない。

A02　**× 「株式交付契約」⇒「株式交付計画」**

774条の2,774条の3。株式交付親会社は，株式交付子会社の個々の株主との間の合意によって，株式を譲り受ける（2条32号の2）。株式交付子会社は，株式交付の当事者ではない。

A03　**○**

774条の3第1項3号。株式交付は，株式交付親会社の株式を対価として，株式交付子会社を買収するための制度である（2条32号の2）。なお,774条の3第1項5号参照。

A04　**○**

774条の11第1項。　＜23 I -17＞

A01　**○**

816条の2第1項。

A02　**× 「株式交付親会社及び株式交付子会社」**
⇒「株式交付親会社」

816条の3第1項,309条2項12号。株式交付子会社は，株式交付の当事者ではない。なお，株式交付計画の承認を要しない場合について,816条の4参照。　＜22 II -18＞

Q03 株式交付が法令又は定款に違反する場合において，株式交付親会社の株主が不利益を受けるおそれがあるときは，株式交付親会社の株主は，株式交付親会社に対し，株式交付をやめることを請求することができる。

Q04 株式交付をする場合には，反対株主は，株式交付親会社に対し，自己の有する株式を公正な価格で買い取ることを請求することができない。

Q05 株式交付に際して株式交付子会社の株式及び新株予約権等の譲渡人に対して交付する金銭等（株式交付親会社の株式を除く。）が株式交付親会社の株式に準ずるものとして法務省令で定めるもののみである場合以外の場合には，株式交付親会社の債権者は，株式交付親会社に対し，株式交付について異議を述べることができる。

A03　○

816条の5本文。例外につき，816条の5ただし書・816条の4第1項本文参照。　＜22Ⅱ-18＞

A04　×　「できない」⇒「できる」

816条の6第1項本文。例外につき，816条の6第1項ただし書・816条の4第1項本文参照。

A05　○

816条の8第1項。

解散・清算

§ 8

Q01 定款で株式会社の存立時期を定めている場合には，株主総会の決議をもってしてもその存立時期の満了前に解散することはできない。

Q02 株式会社は，株主総会の決議によって解散した場合には，清算が結了するまで，株主総会の決議によって，株式会社を継続することができる。

Q03 株式会社が解散した場合には，当該株式会社は，吸収分割により他の会社がその事業に関して有する権利義務の全部又は一部を承継することができない。

Q04 会社が解散した場合，その法人格は直ちに消滅する。

Q05 清算をする株式会社は，清算の目的の範囲内においてのみ権利能力を有し，現務の結了のために行う商品の売却，仕入れ等をすることができる。

Q06 清算株式会社は，その発行済株式の全部を他の株式会社に取得させる株式交換をすることができない。

A01 **×「できない」⇒「できる」**

存立時期の満了前であっても，株主総会の特別決議により解散できる（471条3号，309条2項11号）。

<15Ⅰ-05>

A02 **○**

473条。 <13Ⅱ-18>

A03 **○**

474条2号。 <13Ⅱ-18>

A04 **×「直ちに」⇒「清算手続の結了を待って」**

会社が解散した場合でも，清算株式会社・清算持分会社は清算の目的の範囲内において，清算が結了するまではなお存続するものとみなされる（476条，645条）。

A05 **○**

476条。 <14Ⅱ-13>

A06 **○**

509条1項3号。 <14Ⅰ-13>

外国会社

§ 9

Q01	外国会社の日本における代表者の１人以上は，日本国籍を有する者でなければならない。
Q02	外国会社は，外国会社の登記をするまでは，日本において取引を継続してすることができない。
Q03	外国会社の登記においては，その設立の準拠法についても登記しなければならない。

A01 × 「日本国籍を有する者」⇒「日本に住所を有する者」

817条1項後段。 ＜09Ⅱ-15＞＜15Ⅱ-16＞＜10Ⅱ-15＞

A02 ○

818条1項。 ＜10Ⅱ-15＞＜15Ⅱ-16＞

A03 ○

933条2項1号。 ＜10Ⅱ-15＞＜15Ⅱ-16＞

持分会社

§10

10−1 設　立

Q01 持分会社を設立するには，その社員になろうとする者が定款を作成し，その全員がこれに署名し，又は記名押印しなければならない。

Q02 持分会社の定款には，社員の氏名又は名称及び住所を記載，又は記録しなければならない。

Q03 持分会社を設立するには，定款を作成しその定款について公証人の認証を受けなければならない。

Q04 合名会社及び合資会社の定款には，「社員の氏名又は名称及び住所」や「社員の出資の目的及びその価額又は評価の標準」を記載すべきことになっているが，定款に記載した社員の出資の履行は会社の設立までにしなければならない。

Q05 合同会社の社員及び合資会社の有限責任社員については，その出資の目的は金銭その他の財産に限られているが，合名会社及び合資会社の無限責任社員については，労務や信用の出資も認められている。

A01 ○

575条1項。なお，電磁的記録により作成する場合につき，575条2項参照。

A02 ○

576条1項4号。

A03 × **「受けなければならない」⇒「受ける必要はない」**

株式会社の場合（30条1項）と異なり，公証人の認証は要求されていない。

A04 × **「ならない」⇒「ならないわけではない」**

株式会社（34条，63条）・合同会社（578条）とは異なり，設立時までの履行は要求されていない。合名会社・合資会社では，無限責任社員が存在するため，会社財産を設立時に確保しておく必要性が相対的に低いからである。

A05 ○

576条1項6号かっこ書・151条1項かっこ書，611条1項本文参照。無限責任社員の場合，社員の財産が会社債権者の引当財産になるから，金銭出資や現物出資に限定する必要が小さい。 <07-15><11Ⅰ-15><14Ⅱ-12>
<17Ⅰ-17><17Ⅱ-15><18Ⅰ-16>

Q06　合同会社の社員になろうとする者は，定款の作成後，合同会社の設立の登記をする時までに，その出資に係る金銭の全額を払い込み，又はその出資に係る金銭以外の財産の全部を給付しなければならない。

Q07　合同会社の社員になろうとする者全員の同意があるときは，設立時の出資の履行に関する登記，登録その他権利の設定又は移転を第三者に対抗するために必要な行為は，合同会社の成立後にすることができる。

Q08　持分会社は，社員を１人として設立することができる。

10−2 運　営

Q01　持分会社の有限責任社員も，定款に別段の定めがある場合を除き，持分会社の業務を執行することができる。

A06 ○

578条本文。なお，604条3項も注意。

<09-16><15 I -12>

A07 ○

578条ただし書。 <09-16><15 II -14>

A08 × 「持分会社」⇒「合名会社・合同会社」

合名会社・合同会社は，社員を１人として設立することができる（641条4号参照）。合資会社は，無限責任社員および有限責任社員の存在が必要であり（576条3項），社員を１人として設立することはできない。

<11 I -15><13 II -14>

A01 ○

590条1項。 <08-16><11 I -15><15 II -14>
<16 I -18><20 II -15>

Q02　合名会社の社員は，原則として業務執行権を有するが，会社代表権については定款又は定款の定めに基づく社員の互選によって定められた場合にのみ認められる。

Q03　業務を執行する社員を定款で定めた場合において，業務を執行する社員が２人以上あるときは，定款に別段の定めがない限り，支配人の選任及び解任は，業務を執行する社員の過半数をもって決定する。

Q04　業務を執行する社員は，当該社員以外の社員の全員の承認を受けなければ，持分会社の事業と同種の事業を目的とする会社の取締役，執行役又は業務を執行する社員となることができない。

Q05　業務を執行する社員は，当該社員以外の社員の全員の承認を受けなければ，自己又は第三者のために持分会社の事業の部類に属する取引をすることができない。

A02 **×「認められる」⇒「制限することができる」**

合名会社の社員は，原則として業務執行権を有する（590条1項）。そして，業務執行権を有する社員は，原則として各々が会社代表権を有するが（599条1項本文），定款または定款の定めに基づく社員の互選によって，業務を執行する社員の中から持分会社を代表する社員を定めることができる（599条1項ただし書3項）。

A03 **×「業務を執行する社員の過半数」⇒「社員の過半数」**

業務を執行する社員を定款で定めた場合，持分会社の業務は，業務を執行する社員の過半数をもって決定するのが原則であるが（591条1項），例外として，支配人の選任・解任は，定款に別段の定めがある場合を除き，社員の過半数をもって決定する（591条2項）。

<10-17><24Ⅱ-15>

A04 **○**

594条1項2号。

<08-16><12Ⅰ-15><15Ⅰ-12><19Ⅰ-15>

A05 **○**

594条1項1号。 <12Ⅰ−15><16Ⅱ−18>

Q06　業務を執行する社員が他の社員全員の承認を受けることなく自己又は第三者のために持分会社の事業の部類に属する取引をしたときは，当該行為によって当該業務を執行する社員又は第三者が得た利益の額は，持分会社に生じた損害の額と推定される。

Q07　業務を執行する社員は，自己又は第三者のために持分会社と取引をしようとするときには，定款に別段の定めがある場合を除いて，当該社員以外の社員の全員の承認を受けなければならない。

Q08　業務を執行する有限責任社員がその職務を行うについて悪意又は重大な過失があったときは，当該有限責任社員は，持分会社と連帯して，第三者に生じた損害を賠償する責任を負う。

10−3 社　員

Q01　合名会社において，定款で一部の社員だけを業務を執行する社員と規定した場合には，その業務を執行する社員だけが会社債権者に対して無限責任を負う。

A06 ○

594条2項。

A07 × 「全員の承認」⇒「過半数の承認」

595条1項1号。　<12Ⅰ-15><13Ⅰ-15><16Ⅰ-18><16Ⅱ-18><19Ⅰ-15>

A08 ○

597条，600条。無限責任社員の場合は，性質上当然に責任を負う（580条1項）。業務を執行する有限責任社員については，株式会社の取締役の第三者に対する責任（429条）と同様，第三者保護のため法定の責任を負わせたものである。　<10Ⅰ-18><13Ⅰ-15>

A01 × 「業務を執行する社員だけが」⇒「すべての社員が」

合名会社の社員は，業務執行権の有無にかかわらず会社債権者に対して無限責任を負う（576条2項，580条1項）。

Q02	持分会社の有限責任社員が当該持分会社の債務を弁済する責任を負うとき，その責任は未履行の出資の価額を限度とする。
Q03	社員が合名会社の債務を弁済する責任を負う場合には，社員は，合名会社が主張することができる抗弁をもって当該合名会社の債権者に対抗することができる。
Q04	法人は，持分会社の無限責任社員になることはできない。
Q05	持分会社の有限責任社員が無限責任社員となった場合であっても，当該無限責任社員となった者は，その者が無限責任社員となる前に生じた持分会社の債務については従前の責任の範囲内でこれを弁済する責任を負う。
Q06	持分会社の有限責任社員（合同会社の社員を除く。）が出資の価額を減少した場合であっても，当該有限責任社員はその旨の登記をする前に生じた持分会社の債務については，従前の責任の範囲内でこれを弁済する責任を負う。
Q07	持分会社の無限責任社員が有限責任社員となった場合であっても，当該有限責任社員となった者は，その旨の登記をする前に生じた持分会社の債務については，従前の責任の範囲内でこれを弁済する責任を負う。

A02 ○

580条2項。既に持分会社に対し履行した出資の価額については，持分会社の債務を弁済する責任を負わない(580条2項かっこ書)。 ＜16Ⅱ-18＞＜20Ⅰ-15＞

A03 ○

581条1項。 ＜13Ⅱ-14＞＜20Ⅰ-15＞

A04 × 「できない」⇒「できる」

598条。 ＜10Ⅰ-17＞＜12Ⅰ-15＞＜13Ⅰ-15＞
＜16Ⅱ-18＞＜17Ⅱ-15＞＜20Ⅱ-15＞

A05 × 「従前の責任の範囲内で」⇒「無限責任社員として」

583条1項。なお，605条参照。
＜06-18＞＜13Ⅰ-15＞＜16Ⅰ-18＞

A06 ○

583条2項。なお，583条4項に注意。
＜06-18＞＜24Ⅰ-15＞

A07 ○

583条3項。なお，583条4項に注意。
＜06-18＞＜14Ⅱ-12＞＜18Ⅱ-16＞

Q08　持分会社の社員は，原則として他の社員の全員の承諾がなければ，その持分の全部又は一部を他人に譲渡することができない。

Q09　業務を執行しない有限責任社員は，原則として，業務を執行する社員の過半数の承諾があればその持分の全部又は一部を他人に譲渡することができる。

Q10　持分の全部を他人に譲渡した社員はその旨の登記をする前に生じた持分会社の債務について，従前の責任の範囲内でこれを弁済する責任を負う。

Q11　持分会社の社員は，持分をその会社に譲渡することができるが，持分会社は，相当な時期にこれを処分しなければならない。

10−4 社員の加入・退社

Q01　合資会社の社員の加入は，当該社員の氏名又は名称及び住所を登記した時に，その効力を生ずる。

A08　○

585条1項。なお，定款で別段の定めをすることができる（585条4項）。

A09　×　「過半数」⇒「全員」

585条2項。なお，定款で別段の定めをすることができる（585条4項）。　<10Ⅰ-17><24Ⅱ-15>

A10　○

586条1項。なお，586条2項に注意。

<06-18><16Ⅰ-18><20Ⅱ-15>

A11　×　「できる」⇒「できない」

持分会社は，その持分の全部または一部を譲り受けることができない（587条1項）。また，持分会社が当該持分会社の持分を取得した場合には，当該持分は，当該持分会社がこれを取得した時に消滅する（587条2項）。

<07-15><11Ⅱ-17><14Ⅱ-12><15Ⅱ-14>
<17Ⅰ-17><20Ⅰ-15><24Ⅰ-15>

A01　×　「登記した時に」⇒「定款の変更をした時に」

604条2項。　<13Ⅱ-14><17Ⅱ-15>

Q02 合同会社が新たに社員を加入させる旨の定款の変更をしたにもかかわらず，当該社員が出資の一部を履行していない場合には，当該社員は未履行の出資が完了した時に当該合同会社の社員となる。

Q03 持分会社の成立後に加入した社員は，その加入前に生じた会社の債務について責任を負わない。

Q04 持分会社の社員は，やむを得ない事由があるときはいつでも退社することができる。

Q05 持分会社の社員が死亡した場合には，定款に別段の定めがない限り，当該社員の相続人が当該社員の持分を相続する。

Q06 退社した社員は，その旨の登記をする前に生じた持分会社の債務について従前の責任の範囲内でこれを弁済する責任を負う。

10−5 合同会社の特則

Q01 合同会社においては，合名会社及び合資会社と異なり会社債権者に計算書類の閲覧謄写請求権が認められている。

A02　○

604条3項。　<15Ⅰ-12><24Ⅰ-15>

A03　×　**「負わない」⇒「負う」**

605条。　<13Ⅰ-15>

A04　○

606条3項。

A05　×　**「定款に別段の定めがない限り」**
⇒「定款の定めがある場合には」

社員の死亡は，持分会社の法定退社事由とされている(607条1項3号)。その特則として，定款で定めれば，死亡した社員の相続人が当該社員の持分を相続する（608条1項)。　<10Ⅰ-18><12Ⅰ-15><16Ⅰ-16><18Ⅱ-16><24Ⅱ-15>

A06　○

612条1項。なお,612条2項に注意。　<06-18>

A01　○

625条。　<08-16><17Ⅰ-17><23Ⅰ-15>

Q02 合同会社は，利益の配当により社員に対して交付する金銭等の帳簿価額（「配当額」という。）が当該利益の配当をする日における利益額を超える場合には，当該利益の配当をすることができない。

Q03 合同会社が持分の払戻しにより社員に対して交付する金銭等の帳簿価額が当該持分の払戻しをする日における剰余金額を超える場合には，債権者異議手続をとらなければならない。

Q04 合同会社の社員は，定款を変更して出資の価額を減少する場合を除き，出資の払戻しを請求することができない。

Q05 合同会社の資本金の額は，登記しなければならない。

10−6 定款変更

Q01 持分会社は，定款に別段の定めがある場合を除き，社員の３分の２の同意によって，定款の変更をすることができる。

A02　○

628条。　＜16Ⅱ-18＞＜23Ⅰ-15＞

A03　○

635条1項。間接有限責任社員しかいない合同会社では，債権者保護の観点から，他の持分会社と異なる特則が設けられている（635条，636条）。　＜07-15＞

A04　○

632条1項。　＜07-15＞

A05　○

間接有限責任社員しかいない合同会社は，株式会社と同様（911条3項5号）に資本金の額を登記しなければならない（914条5号）。　＜24Ⅰ-15＞

A01　×　「社員の３分の２」⇒「総社員」

637条。　＜12Ⅰ-15＞＜12Ⅱ-16＞＜18Ⅱ-16＞

Q02 業務を執行しない有限責任社員の持分の譲渡に伴い定款の変更を生ずるときは，その持分の譲渡による定款の変更は，業務を執行する社員の全員の同意によってすることができる。

Q03 合名会社，合資会社又は合同会社間の種類の変更は，定款変更により行うことができる。

Q04 合資会社の有限責任社員が退社したことにより当該合資会社の社員が無限責任社員のみとなった場合には，当該合資会社は，合名会社となる定款の変更をしなければならない。

Q05 合資会社の無限責任社員が退社したことにより当該合資会社の社員が有限責任社員のみとなった場合には，当該合資会社は合同会社となる定款の変更をしたものとみなされる。

10−7 その他

Q01 合資会社は，当該合資会社の社員が出資義務を履行しない場合には，その出資義務を履行しない対象社員以外の社員の過半数の決議に基づき，訴えをもって対象社員の除名を請求することができる。

A02　○

585条3項。同条2項に対応したものであり，定款変更の原則（637条）の例外規定である。　＜24Ⅱ-15＞

A03　○

638条。　＜10Ⅰ-16＞＜12Ⅱ-16＞

A04　**×　「しなければならない」⇒「したものとみなされる」**

639条1項。　＜11Ⅱ-17＞＜23Ⅱ-15＞

A05　○

639条2項。

＜11Ⅱ-17＞＜15Ⅰ-14＞＜17Ⅱ-15＞＜23Ⅱ-15＞

A01　○

607条8号，859条1号。　＜12Ⅱ-14＞

Q02 合名会社は，清算の開始原因に該当することとなった後，遅滞なく，当該合名会社の債権者に対し，一定の期間内にその債権を申し出るべき旨を官報に公告し，かつ，知れている債権者には，各別にこれを催告しなければならない。

Q03 合同会社は，定款又は総社員の同意によって，当該合同会社が総社員の同意により解散した場合における当該合同会社の財産の処分の方法を定めることができる。

A02　×　「合名会社は」⇒「合同会社は」

660条1項かっこ書。　<12Ⅱ-14>

A03　×　「合同会社は」⇒「合名会社および合資会社は」

668条1項。　<12Ⅱ-14><19Ⅱ-15>

10

商法総則・会社法総則

§ 11

11−1 商　人

Q01 自分の畑でとれた野菜を，店舗を用いて自ら販売する者は，商人とはみなされない。

Q02 鉱業を営む者は，商行為を行うことを業としない者であっても，商人とみなされる。

Q03 判例によれば，商人でない者が営業を開始するために，相手方はもとより，それ以外の者にも，客観的に開業準備行為と認められる行為を行ったときは，これにより商人たる資格を有する。

Q04 個人で質屋営業を営む者は商人である。

A01 × 「みなされない」⇒「みなされる」

商法4条2項。

＜08-01＞＜14Ⅰ-01＞＜19Ⅰ-01＞＜23Ⅱ-01＞

A02 ○

商法4条2項。

＜08-01＞＜14Ⅰ-01＞＜19Ⅰ-01＜24Ⅰ-01＞

A03 ○

自然人の商人資格の取得時期は必ずしも営業行為を開始した時ではない。営業を開始するための準備行為を行った時に，営業の意思を相手方が認識し，または営業の意思が客観的に認識可能となっていれば，当該行為を附属的商行為と考えることで，商人と認められる（最判昭47.2.24）。 ＜17Ⅰ-01＞

A04 × 「商人である」⇒「商人ではない」

自己の資金を貸し付けるだけで受信行為を伴わない質屋営業は，営業的商行為である両替その他の銀行取引（商法502条8号）にあたらず，これを営んでも商人とはならない（商法4条1項）。 ＜09-01＞＜18Ⅱ-01＞

Q05	学習塾を営む株式会社は商人である。
Q06	判例によれば，国や市町村がたとえ鉄道・バス事業等の営利事業を営むことがあっても，それは公共の目的を達するために行っているのであるから，商法が適用されることはない。
Q07	公法人が収益事業を営むときは，その限りで商人となる。
Q08	未成年者は，商人となることが禁止されている。
Q09	未成年者が法定代理人の許可を得て自ら営業を行う場合には，未成年者登記簿に登記をすることが求められている。

A05 ○

学習塾を営むことは商行為ではない（商法501条，502条参照)。しかし，会社がその事業としてする行為およびその事業のためにする行為は商行為とされる（会社法5条）から，商人として扱われる（商法4条1項)。

<08-01>

A06 × **「適用されることはない」⇒「適用される」**

国や市町村の行う営業的商行為にも商法の適用がある(大判大6. 2. 3)。 <08-01>

A07 ○

公法人も，商行為を営業として行う場合（商法502条）には，その限りで商人となる（商法2条，4条1項)。

<08-01>

A08 × **「禁止されている」⇒「禁止されていない」**

未成年者が商人となることを禁止するような規定はない。なお，法定代理人の許可があれば未成年者は営業をなしうる（民法5条，6条)。 <17Ⅰ-01>

A09 ○

商法5条，商業登記法35条1項。 <16Ⅰ-01>

Q10　小商人は，その商号を登記することができない。

11-2 商業登記

Q01　登記事項は，登記しない限り常にこれを第三者に対抗することができない。

Q02　判例によれば，取締役会設置会社においてAが代表取締役に就任したが，その旨の登記をしていない間に，Aが会社を代表して第三者と取引した場合，第三者は代表取締役の就任の登記とは関係なく，会社に対してその取引にもとづく権利を主張できる。

Q03　会社法の規定により登記すべき事項は，登記の後であっても，正当な事由によってその登記があることを知らなかった第三者に対抗することができない。

Q04　登記するかどうかが当事者の任意に委ねられている事項であっても，一度登記された当該事項に変更が生じたときは，当該当事者は，変更の登記をしなければならない。

A10 ○

商法7条，11条2項。

<10Ⅰ-01><13Ⅱ-01><17Ⅰ-01><23Ⅰ-01>

A01 × **「常にこれを第三者に」⇒「善意の第三者に」**

善意の第三者に対抗できないだけである（商法9条1項前段，会社法908条1項前段）。 <18Ⅰ-01>

A02 ○

代表取締役の就任は登記事項であり（会社法911条3項14号，915条1項），登記がないときは，登記当事者（会社）の側から善意の第三者に登記事項を主張し得ない（908条1項前段）。しかし，第三者側からは，登記すべき事項の存在または不存在は，登記の有無にかかわらず主張することができる（最判昭35.4.14）。<18Ⅰ-01>

A03 ○

会社法908条1項後段。商法9条1項後段同旨。

A04 ○

商法10条。 <11Ⅰ-01><16Ⅰ-01><19Ⅱ-01>

Q05 A商人がBを支配人に選任したにもかかわらず故意にBの選任登記をせずに，支配人でないCを支配人として登記していた場合には，AはCが支配人でないということを善意の第三者に対して主張することができない。

11−3 商 号

Q01 個人商人は，（小商人を除く。）自己の商号を登記しなければならない。

Q02 個人商人は，（小商人を除く。）複数の商号を登記することができる。

Q03 個人商人は，会社の事業を譲り受けた場合に限り自己の商号中に会社という文字を使用することができる。

Q04 会社の商号は常に１つである。

Q05 個人商人の商号は営業とともに譲渡する場合に限って，他人に譲渡することができる。

A05 ○

商法9条2項。会社法908条2項同旨。 ＜17Ⅱ-01＞

A01 × 「しなければならない」⇒「することができる」

会社の商号は登記しなければならないが（会社法911条3項2号など），個人商人については登記するかどうかは自由である（商法11条2項）。 ＜10Ⅰ-08＞＜11Ⅰ-01＞＜13Ⅱ-01＞＜16Ⅱ-01＞＜20Ⅱ-01＞＜24Ⅱ-01＞

A02 ○

個人商人が数個の営業を営む場合は，それぞれの営業について別々の商号を使用することができる（商号単一の原則。商業登記法28条2項1号2号，43条1項3号参照）。

＜10Ⅰ-01＞＜24Ⅱ-01＞

A03 × 「できる」⇒「できない」

会社でない者は，商号中に会社であることを示す文字を用いることが禁止される（会社法7条）。

A04 ○

会社法6条1項。 ＜11Ⅰ-02＞

A05 × 「に限って」⇒「又は営業を廃止する場合に限って」

商法15条1項。 ＜10Ⅰ-01＞＜13Ⅱ-01＞

Q06　個人商人の商号の譲渡は，登記をしなければ，第三者に対抗することができない。

Q07　商人が，自己の商号と同一の商号を他人が使用しているため，損害を被っている場合に，その他人に対して商号の使用の差止めを求めるには，常に自己の商号を登記しておかなければならない。

Q08　判例によれば，商法14条による名板貸人の責任が認められるためには，名称使用の許諾は明示的になされることを要し，黙示の許諾では不十分である。

Q09　判例によれば，他人が自己の商号を使用して営業又は事業をしていることを知りながらこれを放置していた者は，自己の商号を使用することを許諾していたとはいえないので，名板貸人としての責任を負うことはない。

Q10　判例によれば，名板貸人は，名板借人が名板貸人と業種の異なる営業又は事業を行うときは，特段の事情がない限り名板貸人としての責任を負わない。

A06 ○

商法15条2項。

＜11Ⅰ-01＞＜16Ⅰ-01＞＜20Ⅱ-01＞＜24Ⅱ-01＞

A07 × **「登記しておかなければならない」**

⇒「登記しておかなくてもよい」

未登記商号でも商号の使用の差止めを求めることができる（商法12条2項，不正競争防止法3条）。 ＜19Ⅱ-01＞

A08 × **「黙示の許諾では不十分」⇒「黙示の許諾で十分」**

許諾は黙示のものでもよい（最判昭30. 9. 9）。

＜15Ⅰ-01＞＜22Ⅱ-01＞

A09 × **「許諾していたとはいえないので」**

⇒「許諾していたといえれば」

「負うことはない」⇒「負うことがある」

許諾は黙示のものでもよい（最判昭30. 9. 9）。

＜06-01＞＜15Ⅰ-01＞＜22Ⅱ-01＞

A10 ○

最判昭43. 6. 13。 ＜06-01＞＜15Ⅰ-01＞＜19Ⅱ-01＞

＜22Ⅱ-01＞

Q11　商法14条及び会社法9条は，ある者が自己の名称の使用を他人に許諾し，名義貸与者の営業主としての外観を取引の相手方が信頼する場合に，この信頼の保護を図る規定であるから，相手方が信頼する限りたとえそれが重過失によるものであっても保護されるというのが最高裁判所の判例である。

Q12　判例によれば，名板借人の被用者の起こした交通事故に基づく損害賠償債務について，名板借人が名板貸人の商号を用いて被害者と示談契約を締結したため，被害者が名板貸人を示談契約上の債務者と誤認した場合に，名板貸人はその示談契約に基づく債務について責任を負う。

11−4 営業（事業）の譲渡

Q01　営業を譲渡するときは商号とともにしなければならず，商号と切り離して営業だけを譲渡することはできない。

Q02　営業譲渡がなされた場合，譲渡人は，当事者の別段の意思表示がない限り，その後30年間は同一市町村及び隣接市町村内において同一の営業を行うことができない。

A11　**×　「保護される」⇒「保護されない」**
第三者保護の要件は善意・無重過失であり（最判昭41.1.27），重過失がある場合には保護されない。
<06-01><15Ⅰ-01><22Ⅱ-01>

A12　**×　「責任を負う」⇒「責任を負わない」**
不法行為による損害賠償債務について，商法14条が適用されない以上，その損害賠償債務の支払等に定める示談契約にも商法14条は適用されない（最判昭52.12.23）。　<06-01><15Ⅰ-01>

A01　**×　「できない」⇒「できる」**
必ずしも商号とともに営業を譲渡する必要はない（商法17条1項，18条1項参照）。商号の譲渡と区別すること（商法15条）。

A02　**×　「30年」⇒「20年」**
商法16条1項2項。会社法21条1項2項同旨。なお，譲渡人が同一の営業を行わない旨の特約をした場合には，その特約は，その営業を譲渡した日から30年の期間内に限り，その効力を有する（商法16条2項。会社法21条2項同旨）。
<10Ⅱ-01><12Ⅰ-17><18Ⅰ-01><20Ⅰ-01>

Q03　営業を譲渡した商人が負う商法上の競業避止義務は，当事者の特約によって排除することはできない。

Q04　営業の譲受人が譲渡人の商号を続用する場合に，営業譲渡前に営業の譲渡人Aに対して営業上の売買代金債権を有していた債権者Bは，営業譲渡後はAに対して債務の履行を請求することができなくなる。

Q05　商号の続用をともなって営業譲渡がなされた場合において，遅滞なく，譲受人が譲渡人の債務を弁済する責任を負わない旨を登記したときには，譲受人は譲渡人の営業によって生じた債務を弁済する責任を負わない。

Q06　商号の続用をともなって営業譲渡がなされた場合において，遅滞なく，譲受人から第三者に対し譲受人が譲渡人の債務を弁済する責任を負わない旨の通知をしたときは，譲受人は，その通知を受けた第三者について，譲渡人の営業によって生じた債務を弁済する責任を負わない。

Q07　商号の続用をともなって営業譲渡がなされた場合，その営業譲渡につき善意かつ重過失がない譲渡人の営業上の債務者が譲受人に対してなした弁済も有効である。

A03　× 「できない」⇒「できる」

競業避止義務は，「当事者の別段の意思表示」があれば排除できる（商法16条1項。会社法21条1項同旨）。

<12Ⅰ-17><16Ⅱ-01><18Ⅰ-01><20Ⅰ-01>

A04　× 「できなくなる」⇒「できる」

商法17条1項によって譲受人が弁済の責任を負うとしても，譲渡人が免責されるわけではない。

A05　○

商法17条2項前段。会社法22条2項前段同旨。

<10Ⅱ-01><14Ⅰ-01>

A06　× 「譲受人から」⇒「譲受人及び譲渡人から」

商法17条2項後段。会社法22条2項後段同旨。

<10Ⅱ-01><14Ⅰ-01>

A07　○

商法17条4項。会社法22条4項同旨。

<13Ⅰ-16><16Ⅱ-01><24Ⅰ-01>

Q08 会社が個人商人の営業を譲り受けた場合には，当該会社が譲渡人である個人商人の商号を引き続き使用したときでも，当該会社は譲渡人である個人商人の営業によって生じた債務を弁済する責任を負わない。

11−5 商業帳簿

Q01 個人商人は，貸借対照表及び損益計算書を作成しなければならない。

Q02 すべての商人は，商業帳簿を作成しなければならない。

Q03 裁判所は，申立てにより又は職権で，訴訟の当事者に対し，商業帳簿の全部又は一部の提出を命ずることができる。

Q04 商人が廃業をした後は，商業帳簿の保存は義務づけられない。

A08　**×　「負わない」⇒「負う」**

会社法24条2項・22条1項。　＜10Ⅱ-01＞

A01　**×　「貸借対照表及び損益計算書」⇒「商業帳簿」**

個人商人が作成しなければならないのは，商業帳簿（会計帳簿および貸借対照表）である（商法19条2項）。

＜13Ⅱ-01＞＜17Ⅱ-01＞

A02　**×　「すべての」⇒「小商人を除く」**

小商人（商法施行規則3条参照）は，商業帳簿を作成する必要はない（商法7条）。

A03　**○**

商法19条４項。民事訴訟法では，裁判所が書証の提出を命ずるには当事者の申立てが必要であり（民訴219条），また，一定の場合には，文書の所持者はその提出を拒める（民訴220条）。商法19条４項は，裁判所の職権で提出が命じられ，提出を拒めない点で，民事訴訟法の特則を規定している。　＜14Ⅱ-01＞

A04　**×　「義務づけられない」⇒「義務づけられている」**

帳簿の閉鎖の時から10年間は，商業帳簿およびその営業に関する重要な資料を保存しなければならない（商法19条3項）。

Q05　個人商人は，営業年度の終了後，貸借対照表を公告しなければならない。

11−6 商業使用人

Q01　支配人は，商人に代わって，その営業に関する一切の裁判外の行為をする権限を有するが，その営業に関する裁判上の行為をする権限は有しない。

Q02　支配人は，支店において商人に代わってその営業に関する包括的な権限を有する者であり，本店に支配人を置くことはできない。

Q03　支配人は他の使用人を選任し，又は解任することができる。

Q04　ある商人により選任された支配人は，当該商人のために他の支配人を選任することができる。

Q05　支配人の代理権は商人が死亡しても消滅しない。

A05 × **「公告しなければならない」**
⇒「公告する必要はない」
個人商人については，会社法440条1項のような規定がない。 <14Ⅱ-01>

A01 × **「裁判上の行為をする権限は有しない」**
⇒「裁判上の行為をする権限も有する」
支配人は，商人に代わってその営業に関する一切の裁判上または裁判外の行為をする権限を有する（商法21条1項。会社法11条1項同旨）。
<10Ⅱ-02><17Ⅱ-01><21-01>

A02 × **「置くことはできない」⇒「置くこともできる」**
支配人は営業所（本店または支店）に置かれる（商法20条。会社法10条同旨）。本店に置くこともできる。

A03 ○
商法21条2項。会社法11条2項同旨。

A04 × **「できる」⇒「できない」**
商法21条2項，会社法11条2項の反対解釈。<15Ⅱ-01>

A05 ○
商法506条。 <10Ⅱ-02><11Ⅱ-02><14Ⅰ-02>

Q06　業種の異なる複数の営業所について，同一人を支配人として選任することはできない。

Q07　支配人の権限は本店又は支店の営業に関する一切の事項に及び，内部的にこれに制限を加えても善意の第三者に対抗できない。

Q08　商人は支配人の選任及びその代理権の消滅に関しては，登記をする必要はない。

Q09　会社が支店の支配人を選任したときは，当該支店の所在地において，その登記をしなければならない。

Q10　商人が支配人を選任した場合に，支配人の登記がなくても，取引の相手方は商人に対しその者が支配人であることを主張できる。

A06　×「できない」⇒「できる」

業種の異なる複数の営業所について，同一人を数個の営業所の支配人を兼任する支配人として選任することもできる。

A07　○

商法21条1項3項。会社法11条1項3項同旨。　<09-02>

A08　×「する必要はない」⇒「要する」

商人は支配人の選任およびその代理権の消滅に関し登記しなければならない（商法22条。会社法918条同旨）。

<09-02><21-01><24Ⅰ-01>

A09　×「当該支店の所在地」⇒「本店」

会社の支配人の登記は，本店の所在地においてしなければならない（会社法918条）。

<07-02><09-02><12Ⅱ-01>

A10　○

支配人選任の登記（商法22条）をしないと取引の相手方に対抗できないが，相手方から認めることはできる（商法9条1項前段。会社法908条1項前段同旨）。

<15Ⅱ-01>

Q11 支配人は，商人の許可がなければ商人の営業の部類に属する取引をすることができないが，異なる営業に関しては自由に行うことができる。

Q12 会社の支配人は，会社の許可がなくても他の会社の取締役となることができる。

Q13 支配人が商人の許可を受けることなく自己のために商人の営業の部類に属する取引をしたときは，当該行為によって支配人が得た利益の額は，商人に生じた損害の額と推定される。

Q14 商人は代理権を与えていない使用人に営業所の営業の主任者と認められる名称を付したとき，この者を支配人と誤認して取引をした第三者に対し責任を負う。

Q15 表見支配人は，営業に関する一切の裁判上又は裁判外の行為につき支配人と同一の権限を有するものとみなされる。

A11 × 「できる」⇒「できない」

支配人は，商人の許可がなければ異なる営業であっても行うことができない（精力分散防止義務，商法23条1項1号。会社法12条1項1号同旨）。 <13Ⅱ-01><21-01>

A12 × 「許可がなくても」⇒「許可があれば」

支配人は，会社の許可がなければ他の会社の取締役となることはできない（精力分散防止義務，会社法12条1項4号。商法23条1項4号同旨）。

<09-02><12Ⅱ-01><18Ⅱ-02>

A13 ○

商法23条2項。会社法12条2項同旨。 <19Ⅱ-01>

A14 ○

商法24条。会社法13条同旨。

A15 × 「一切の裁判上又は裁判外の行為」

⇒「裁判上の行為を除いた」

表見支配人の権限は，裁判上の行為を除いて，支配人と同一の権限（商法21条1項。会社法11条1項同旨）を有するものとみなされる（商法24条。会社法13条同旨）。

<12Ⅱ-01><21Ⅰ-01>

Q16 商人の営業に関するある種類又は特定の事項の委任を受けた使用人は，当該事項に関する一切の裁判外の行為をする権限を有し，この代理権に加えた制限は善意の第三者に対抗することができない。

Q17 物品販売等を目的とする店舗の使用人は，営業主から販売等の権限を与えられていない場合であっても，その店舗にある物品の販売等をする権限を有するものと推定される。

11－7 代理商

Q01 会社の代理商は，特定の会社のためにその平常の事業の部類に属する取引の代理または媒介をする者で，その会社の使用人でないものをいう。

Q02 会社の代理商は，会社の許可を受けなくても，他の会社の使用人となることができる。

Q03 代理商は，商人の許可がなくても，商人の営業と同種の事業を目的とする会社の取締役となることができる。

A16　○

商法25条。会社法14条同旨。　<12Ⅱ-01><15Ⅱ-01>

A17　× 「推定される」⇒「みなされる」

商法26条。会社法15条同旨。　<15Ⅱ-01><19Ⅰ-01>

A01　○

会社法16条かっこ書。商法27条かっこ書同旨。

<07-03><11Ⅱ-01><23Ⅰ-01>

A02　○

会社法17条1項（⇔会社法12条1項3号）。商法28条1項同旨（⇔商法23条1項3号）。

<10Ⅱ-02><11Ⅱ-01><18Ⅱ-02><22Ⅰ-01>

A03　× 「できる」⇒「できない」

商法28条1項2号。会社法17条1項2号同旨。

<10Ⅱ-02><18Ⅰ-01>

Q04　代理商が商人の許可を受けることなく自己又は第三者のために商人の営業の部類に属する取引をしたときは，当該取引によって代理商又は第三者が得た利益の額は，商人に生じた損害の額と推定される。

Q05　商人から物品の販売の媒介の委託を受けた代理商は，買主から，売買の目的物に瑕疵があること，又はその数量に不足があることの通知を受ける権限を有する。

Q06　代理商契約において，商人及び代理商は，契約の期間を定めなかったときは，理由を問わず，いつでもその契約を解除することができる。

Q07　代理商は，取引の代理又は媒介をしたことによって生じた債権の弁済期が到来しているときは，当事者が別段の意思表示をしたときを除き，その弁済を受けるまでは，商人のために当該代理商が占有する物又は有価証券を留置することができる。

A04　○

商法28条2項。会社法12条2項同旨。　＜10Ⅱ-02＞

A05　○

商法29条。会社法18条同旨。　＜10Ⅱ-02＞＜22Ⅰ-01＞

A06　×　**「理由を問わず，いつでも」**

⇒「やむを得ない事由があるときは」

商法30条2項。会社法19条2項同旨。なお，商法30条1項（会社法19条1項）参照。

＜11Ⅱ-01＞＜17Ⅱ-01＞＜22Ⅰ-01＞

A07　○

商法31条。会社法20条同旨。なお，代理商の留置権は，商人間の留置権（商法521条）と異なり，「債務者の所有する物又は有価証券」であることや，「その債務者との間における商行為によって自己の占有に属した」ことは要件とされていない。

＜11Ⅱ-01＞＜19Ⅰ-01＞＜22Ⅰ-01＞

商行為

§ 12

12−1 商行為の意義と種類

Q01 株式会社の定款に記載された目的が，商法501条及び502条に規定された商行為に該当すると否とにかかわらず，その株式会社の行為は商行為となる。

Q02 利益を得て譲渡する意思をもってする動産の有償取得は，絶対的商行為である。

Q03 売却価格より安く取得することを予定している不動産を，取得前に売却する契約は，絶対的商行為にあたる。

Q04 判例によれば，自己の有する資金を他人に貸し付ける行為は，商法502条8号の規定する商行為である両替その他の銀行取引に含まれない。

Q05 自然人である問屋が問屋契約に基づき他人のために物品の買入れをすることは，問屋にとって附属的商行為となる。

A01　○

会社法5条。

A02　○

商法501条1号。　＜17Ⅰ-02＞＜18Ⅱ-01＞

A03　**×　「不動産」⇒「動産又は有価証券」**

投機売却とその実行行為（商法501条2号）の目的物は，動産または有価証券であって，投機購買とその実行行為（商法501条1号）と異なり，不動産を含まない。

＜09-01＞＜19Ⅰ-02＞＜20Ⅱ-02＞

A04　○

両替その他の銀行取引は，他人から資金を取得する受信業務とこれを貸し付ける与信業務とが並存することが必要である（最判昭30. 9. 27，最判昭50. 6. 27）。

＜09-01＞＜18Ⅱ-01＞

A05　○

問屋は，取次ぎに関する行為（商法502条11号）を業とする者であるため商人に該当する（商法4条1項）。そして，商人がその営業のためにする行為は，附属的商行為となる（商法503条1項）。　＜23Ⅱ-01＞

Q06 個人商人が自宅改築に用いるつもりで金銭を借り入れたときでも，営業のために借り入れたものと推定される。

12-2 商行為の通則

Q01 商行為の受任者は，委任の本旨に反しない範囲内において，委任を受けていない行為をすることができる。

Q02 商人である隔地者の間において承諾の期間を定めないで契約の申込みを受けた者が相当の期間内に承諾の通知を発しなかったときは，その申込みは効力を失う。

Q03 商人が平常取引をする者からその営業の部類に属する契約の申込みを受けたときは，遅滞なく諾否の通知を発することを要し，もしこれを怠ったときは申込みを承諾したものとみなされる。

Q04 商人がその営業に属する契約の申込みを受けた場合，申込みと同時に受け取った物品があるときは，原則としてその申込みを拒絶する場合でも申込者の費用でその物品を保管する義務がある。

Q05 商行為の代理人が本人のためにすることを示さないでこれをした場合であっても，その行為は本人に対してその効力を生ずる。

A06　○

商法503条2項。

<14 I -01><16 I -02><17 I -01><23 II -01>

A01　○

商法505条。　<14 I -02><17 I -02>

A02　○

商法508条1項。

A03　○

商法509条。　<16 II -02>

A04　○

商法510条本文。　<20 II -02><24 I -02>

A05　○

商法504条本文。民法の顕名主義（民法99条1項）に対し，商法では非顕名主義がとられている。　<14 I -02>

Q06	判例によれば，商法504条の解釈について，相手方が代理関係を無過失で知らない場合には，504条本文により本人と相手方との間に契約関係が成立するとともに，同条ただし書により代理人と相手方との間に同一の契約関係が成立し，相手方はそのいずれかを選択することができる。
Q07	商行為の委任による代理権は，本人の死亡によって消滅する。
Q08	数人がその１人又は全員のために商行為となる行為によって債務を負ったときは，別段の意思表示がない限り，各債務者は，債権者に対し平等に分割された債務を負担する。
Q09	株式会社が事業資金を借り入れるに際して，会社の代表取締役が保証をした場合，その保証は連帯保証となる。
Q10	商人がその営業の範囲内において他人のために行為をしたときは，相当な報酬を請求することができる。
Q11	商人間において金銭の消費貸借をしたときは，貸主は，特約がなくても当然に法定利息を請求することができる。

A06　○

最大判昭43.4.24。　＜18Ⅰ-02＞＜24Ⅰ-02＞

A07　**×　「消滅する」⇒「消滅しない」**

商法506条。　＜11Ⅱ-02＞＜14Ⅰ-02＞＜16Ⅱ-02＞

A08　**×　「平等に分割された」⇒「全額について連帯して」**

数人がその１人または全員のために商行為たる行為によって債務を負ったときは，別段の意思表示がない限り，その債務を連帯して各自が負担する（商法511条1項）。　＜14Ⅰ-02＞＜19Ⅰ-02＞

A09　○

株式会社が事業資金を借り入れるのは，事業のためにする行為であり，商行為とされるから（会社法5条），債務が主たる債務者の商行為によって生じた場合にあたるので，連帯保証となる（商法511条2項）。　＜09-01＞

A10　○

商法512条。　＜16Ⅱ-02＞＜20Ⅰ-02＞＜24Ⅰ-02＞

A11　○

商法513条1項。

Q12 商人がその営業の範囲内において他人のために金銭の立替えをしたときは,その立替えの日以後の法定利息を請求することができる。

Q13 商行為によって生じた債務の履行をすべき場所がその行為の性質又は当事者の意思表示によって定まらないときは，特定物の引渡しはその行為の時にその物が存在した場所において，その他の債務の履行は債務者の現在の営業所（営業所がない場合にあっては，その住所）において，それぞれしなければならない。

Q14 商人間においてその双方のために商行為となる行為によって生じた債権が弁済期にあるときは，当事者の別段の意思表示がない限り，債権者は，その弁済を受けるまで、その債務者との間における他の商行為により自己の占有に属した債務者の所有物についても留置することができる。

Q15 商人間の取引による留置権は，特約により排除できない。

A12　○

商法513条2項。

A13　×　「債務者」⇒「債権者」

履行場所は債権者の現在の営業所（営業所がないときはその住所）である（商法516条）。

A14　○

商法521条本文。商人間の留置権においては，①債権と物との個別的牽連性（民法295条1項本文参照）は不要であり，②その代わり被担保債権と目的物の範囲が限定されている。なお，商人間の留置権は，別段の意思表示によって排除することも可能である（商法521条ただし書）。　<16 I -02><17 I -02>

A15　×　「排除できない」⇒「排除できる」

当事者の特約によって留置権の成立を排除することができる（商法521条ただし書）。　<17 I -02>

12−3 商事売買

Q01 商人間の売買において，買主が目的物を受け取ることを拒み，又は受け取ることができないとき，売主はこれを供託してよいが，その場合は遅滞なく買主に対して通知を発しなければならない。

Q02 商人間の売買において，買主が売買の目的物の受領を拒み，かつ，その物に損傷による価格の低落のおそれがある場合には，売主は，催告をしないでその物を競売に付することができる。

Q03 商人間の売買において，売買の性質又は当事者の意思表示により特定の日時又は一定の期間内に履行しなければ契約の目的を達成できない場合に，当事者の一方が履行しないでその時期を経過したときは，相手方が直ちに履行請求しない限り，契約は当然に解除されたものとみなされる。

Q04 商人間の売買において，買主は，その売買の目的物を受領したときは，遅滞なく，その物を検査しなければならない。

A01　○

商法524条1項。

A02　○

商法524条2項。　＜21-02＞

A03　○

商法525条。　＜17Ⅱ-02＞＜21-01＞＜24Ⅰ-02＞

A04　○

商法526条1項。　＜21-01＞

Q05 商人間の売買において，買主は，検査により売買の目的物が種類，品質又は数量に関して契約の内容に適合しないことを発見したときは，直ちに売主に対してその旨の通知を発しなければ，その不適合を理由とする履行の追完の請求，代金の減額の請求，損害賠償の請求及び契約の解除をすることができない。

Q06 商人間の売買において，売買の目的物が種類，品質又は数量に関して契約の内容に適合しないことにつき売主が悪意であった場合でも，買主が通知を発しなければ，その不適合を理由とする履行の追完の請求，代金の減額の請求，損害賠償の請求及び契約の解除をすることができない。

Q07 商人間の売買において，買主は，契約の解除をしたときであっても，原則として，売主の費用をもって売買の目的物を保管し，又は供託しなければならない。

12-4 交互計算

Q01 交互計算とは，商人間又は商人と商人でない者との間で平常取引をする場合において，一定の期間内の取引より生ずる債権及び債務の総額につき相殺をし，その残額の支払をすることを約する契約をいう。

Q02 当事者が交互計算の期間を定めていない場合，この期間は6箇月となる。

A05　○

商法526条2項前段。なお，民法562条～ 564条参照。

A06　×　**「買主が通知を発しなければ」「できない」**

⇒「買主が通知を発しなくても」「できる」

売主が悪意であった場合には，売主保護の必要がないので，商法526条2項の適用はない（商法526条3項）。

<21-01>

A07　○

商法527条1項本文。なお，例外につき，商法527条4項参照。

A01　○

商法529条。　<13Ⅱ-02><19Ⅱ-02>

A02　○

商法531条。　<13Ⅱ-02>

Q03 交互計算期間が満了し，当事者の一方が計算書を相手方に提出し，相手方がこれを承認したときは，原則として各当事者は計算書に記載された各項目について異議を述べることができない。

Q04 交互計算の存続期間が定められている場合には，各当事者は解除をなすことができない。

12−5 匿名組合

Q01 匿名組合契約は，当事者の一方が相手方の営業のために出資をし，当該営業から生ずる利益を分配することを約することによって，その効力を生ずる。

Q02 匿名組合員は，財産の出資のみではなく，信用及び労務の出資も認められる。

Q03 匿名組合員の出資は，匿名組合の財産に帰属するのであって，営業者の財産に帰属するわけではない。

Q04 匿名組合員は，営業者の行為について，第三者に対して権利及び義務を有しない。

A03　○

商法532条本文。

A04　×　「できない」⇒「できる」

交互計算は当事者間の信用に基礎を置く契約なので，交互計算の存続期間が定められているか否かを問わず，各当事者はいつでも解除することができる（商法534条前段）。　<13Ⅱ-02>

A01　○

商法535条。　<21-02>

A02　×　「認められる」⇒「認められない」

商法536条2項。　<06-02><12Ⅰ-01><23Ⅰ-02>

A03　×　「帰属するわけではない」⇒「帰属する」

匿名組合員の出資は，営業者の財産に帰属する（商法536条1項）。　<12Ⅰ-01>

A04　○

商法536条4項。　<14Ⅱ-02>

Q05 出資が損失によって減少したときでも，その損失をてん補することなしに，匿名組合員は利益の配当を請求することができる。

Q06 匿名組合員は，裁判所の許可を得ることなくいつでも営業者の業務及び財産の状況を検査することができる。

Q07 匿名組合員は，営業者の業務を執行し，又は営業者を代表することができる。

Q08 匿名組合契約は，匿名組合員の死亡によって終了する。

Q09 匿名組合員がその所有する土地を出資した場合に，匿名組合契約が終了したときは，特約のない限り，営業者は当該土地を返還する必要がなく，その匿名組合員に出資の価額を返還するだけでよい。

12−6 仲立人

Q01 仲立人は，他人のために物品の販売又は買入れをすることを業とする者である。

A05　**×　「できる」⇒「できない」**

商法538条。　＜06-02＞＜14Ⅱ-02＞

A06　**×　「許可を得ることなく」⇒「許可を得て」**

匿名組合員は，重要な事由があるときはいつでも，裁判所の許可を得て営業者の業務および財産の状況を検査することができる（商法539条2項）。

＜06-02＞＜14Ⅱ-02＞＜22Ⅱ-02＞＜23Ⅰ-02＞

A07　**×　「できる」⇒「できない」**

商法536条3項。　＜06-02＞＜12Ⅰ-01＞

A08　**×　「匿名組合員」⇒「営業者」**

商法541条2号。　＜14Ⅱ-02＞＜19Ⅱ-02＞

A09　**○**

「出資の価額」を返還すればよい（商法542条本文）。

＜06-02＞

A01　**×　「他人のために物品の販売又は買入れをする」**
⇒「他人間の商行為の媒介をする」

商法543条。　＜10Ⅰ-01＞＜13Ⅰ-01＞＜22Ⅱ-02＞

Q02 仲立人が，その媒介行為について見本を受け取ったときは，その行為が完了するまで見本を保管する義務を負う。

Q03 当事者間において媒介に係る契約が成立したときは，仲立人は遅滞なく各当事者の氏名又は商号，成立した契約の年月日及びその要領を記載した結約書を作成し，かつ，署名し，又は記名押印した後，これを各当事者に交付しなければならない。

Q04 商行為の媒介を業とする仲立人が，当事者の一方の氏名又は商号をその相手方に示さなかったときは，仲立人は当該相手方に対して自ら履行する責任を負う。

Q05 仲立人は，媒介により法律行為が成立し，かつ結約書の作成交付手続が終了した後でなければ報酬を請求することができない。

Q06 仲立人の報酬は，当事者双方が等しい割合で負担する。

A02　○

商法545条。　<13 I -01>

A03　○

商法546条1項。なお，547条参照。　<13 I -01>

A04　○

商法549条。　<17 II -02>

A05　○

商法550条1項。　<15 I -01>

A06　○

商法550条2項。仲立人は媒介の委託を受けていない相手方に対しても本規定により報酬を請求することができると解されている（通説）。

<13 I -01><17 II -02><20 I -02><24 II -02>

Q07 仲立人は，不特定多数の他人間の行為の媒介を引き受けることを業とする者であるが，商行為でない法律行為の媒介を行う者は，商法上の仲立人ではなく，又商人でもない。

12−7 問屋営業

Q01 問屋とは，自己の名をもって委託者のために，物品の販売又は買入れをすることを業とする者である。

Q02 問屋は，他人のためにした物品の販売又は買入行為について，自ら契約の当事者として相手方に対して，権利を取得し，義務を負う。

Q03 問屋が委託者のために行った販売又は買入れについて，相手方がその債務を履行しない場合には，別段の合意及び慣習のない限り，当該問屋は自ら当該債務を履行する責任を負う。

Q04 問屋が委託者の指定した金額より高く物品を買い入れた場合は，たとえ問屋がその差額を負担しても，その買入れの効果は委託者に対して効力を生じない。

A07　× 「商人でもない」⇒「商人である」

商行為でない法律行為の媒介を行う者（民事仲立人）も，不特定多数の他人間の行為の媒介を引き受けること（営業的商行為。商法502条11号）を業とする限り，商人であることに変わりはない。　<07-03><18Ⅱ-01>

A01　○

商法551条。　<07-03><15Ⅰ-02>

A02　○

商法552条1項。　<07-03><17Ⅱ-02>

A03　○

商法553条。　<15Ⅱ-02>

A04　× 「効力を生じない」⇒「効力を生じる」

問屋がその差額を負担するときは，その買入れは委託者に対しても効力を生じる（商法554条）。　<18Ⅰ-02>
<22Ⅱ-02>

Q05　問屋は，物品の販売又は買入れの委託を受けたとき，その物品の性質いかんを問わず自ら買主又は売主となることができる。

Q06　問屋は，委託者より金額を指定された場合でも，特にそれに拘束されることなく自己の判断により販売又は買入れを行うことができる。

Q07　問屋が物品の販売又は買入れの取次ぎをしたとき，委託者の請求がなければ，当該問屋はその旨の通知を当該委託者に対して発することを要しない。

Q08　問屋は，物品の販売又は買入れの取次ぎをしたことによって生じた債権の弁済期が到来しているときは，その弁済を受けるまでは，委託者のために当該問屋が占有する物又は有価証券を留置することができる。

12−8 運送営業・運送取扱営業

Q01　運送人とは，自己の名をもって物品運送の取次ぎをすることを業とする者をいう。

A05 × 「性質いかんを問わず」
⇒「取引所の相場のある場合には」

問屋が，取引所の相場のある物品の販売または買入れの委託を受けたときは，自ら買主または売主となることができる（介入権。商法555条）。

<15Ⅱ-02><19Ⅱ-02><24Ⅱ-02>

A06 × 「できる」⇒「できない」

委託者より指値がなされた場合，原則としてこれに従わなければならない（商法554条，505条，民法644条）。

A07 × 「委託者の請求がなければ…発することを要しない」
⇒「遅滞なく，その旨の通知を発しなければならない」

商法557条・27条。 <15Ⅱ-02>

A08 ○

商法557条・31条。 <10Ⅰ-02><15Ⅱ-02>

A01 × 「物品運送の取次ぎ」
⇒「陸上運送，海上運送又は航空運送の引受け」

運送人とは，陸上運送，海上運送または航空運送の引受けをすることを業とする者をいう（商法569条1号）。自己の名をもって物品運送の取次ぎをすることを業とする者は，運送取扱人である（商法559条）。 <12Ⅱ-02>

Q02 運送取扱人Xが運送人Aとの間に運送契約を締結し，委託者Yから受け取った運送品をAに引き渡したときは，運送品が到達地に到着していなくても，Xは直ちにYに対して報酬の支払を請求することができる。

Q03 荷送人は，運送人の請求により，法定の事項を記載した送り状を交付しなければならない。

Q04 荷送人は，運送品が引火性，爆発性その他の危険性を有するものであるときは，その引渡しの前に，運送人に対し，その旨及び当該運送品の品名，性質その他の当該運送品の安全な運送に必要な情報を通知しなければならない。

Q05 運送賃は，到達地における運送品の引渡しと同時に，支払わなければならない。

Q06 運送人は，運送品に関して受け取るべき運送賃，付随の費用及び立替金（「運送賃等」という。）についてのみ，その弁済を受けるまで，その運送品を留置することができる。

Q07 運送品の滅失又は損傷の場合における損害賠償の額は，原則として，その引渡しがされるべき地及び時における運送品の市場価格（取引所の相場がある物品については，その相場）によって定める。

A02　○

商法561条1項。

A03　○

商法571条1項柱書。　<12Ⅱ-02>

A04　○

商法572条。

A05　○

商法573条。

A06　○

商法574条。

A07　○

商法576条1項本文。なお，市場価格がないときは，その地および時における同種類で同一の品質の物品の正常な価格によって定める（商法576条1項ただし書）。なお，576条3項参照。

Q08 貨幣，有価証券その他の高価品については，物品運送契約の締結の当時，運送品が高価品であることを運送人が知っていたときであっても，荷送人が運送を委託するに当たりその種類及び価額を通知した場合でなければ，運送人は，その滅失，損傷又は延着について損害賠償の責任を負わない。

Q09 荷受人は，運送品が到達地に到着し，又は運送品の全部が滅失したときは，物品運送契約によって生じた荷送人の権利と同一の権利を取得する。

Q10 運送賃請求権は荷送人と運送人との間で締結される運送契約上の権利であるから，運送人は荷送人以外の荷受人に対して運送賃を請求することができない。

12-9 場屋営業・倉庫営業

Q01 商人は，その営業の範囲内において顧客から寄託を受けたときは，無報酬の特約がある場合を除き善良な管理者の注意をもって管理しなければならない。

A08　**×　「責任を負わない」⇒「責任を負う」**

貨幣，有価証券その他の高価品については，荷送人が運送を委託するにあたって，その種類および価額を通知しなければならず，通知がなければ運送人は責任を負わない（高価品の特則。商法577条1項）。ただし，①物品運送契約の締結の当時，運送品が高価品であることを運送人が知っていたとき，②運送人の故意または重大な過失によって高価品の滅失，損傷または延着が生じたときには，高価品の特則は適用されない（商法577条2項1号2号）。

A09　**○**

商法581条1項。　＜12Ⅱ-02＞＜19Ⅱ-02＞＜22Ⅱ-02＞

A10　**×　「できない」⇒「できる」**

荷受人が運送品を受け取ったときは，運送人は荷受人に対しても運送賃を請求できる（商法581条3項）。

＜15Ⅰ-02＞＜20Ⅰ-02＞＜24Ⅱ-02＞

A01　**×　「無報酬の特約がある場合を除き」**
⇒「報酬の有無を問わず」

商人がその営業の範囲内において寄託を受けたときは，報酬の有無を問わず善管注意義務を負う（商法595条）。

Q02　場屋営業者は，客から寄託を受けた物品の保管に関して注意を怠らなかったことを証明した場合には，当該物品の滅失又は損傷について，債務不履行に基づく損害賠償責任を免れる。

Q03　場屋営業者は，貨幣，有価証券その他の高価品については，客がその種類及び価額を通知してこれを場屋営業者に寄託した場合を除き，その滅失又は損傷によって生じた損害を賠償する責任を負わない。

Q04　場屋営業者は，商法上，客から寄託を受けていない物品の滅失又は損傷につき，場屋の中に客が携帯した物品について責任を負わない旨を表示することをもって，損害賠償の責任を免れることができる。

Q05　場屋営業者の責任に係る債権は，場屋営業者が物品の滅失又は損傷につき悪意であった場合を除き，場屋営業者が寄託を受けた物品を返還し又は客が場屋の中に携帯した物品を持ち去った時（物品の全部滅失の場合は客が場屋を去った時）から１年間行使しない場合は，時効によって消滅する。

Q06　顧客から寄託を受けた物品が滅失した場合の倉庫営業者の責任は，無過失責任である。

A02 × 「注意を怠らなかったこと」⇒「不可抗力によるものであったこと」

商法596条1項。

<10 I -02><15 I -02><18 I -02><22 I -02>

A03 ○

商法597条。

A04 × 「免れることができる」⇒「免れることができない」

商法596条2項3項。 <22 I -02>

A05 ○

商法598条1項2項。

A06 × 「無過失責任である」⇒「無過失責任ではない」

倉庫営業者は，自己またはその使用人が寄託物の保管に関し注意を怠らなかったことを証明すれば，滅失につき責任を負わない（商法610条）。

Q07 倉庫営業者は，寄託物の出庫の時以後でなければ，保管料及び立替金その他寄託物に関する費用の支払を請求することができない。

Q08 倉荷証券が作成されたときは，これと引換えでなければ，寄託物の返還を請求することができない。

A07　○

商法611条本文。なお，商法611条ただし書参照。

<20 I -02>

A08　○

商法613条。　<19 I -02><22 I -02>

金融商品取引法

§ 13

13−1 有価証券

Q01 地方債証券には，金融商品取引法第２章「企業内容等の開示」の規定は適用されない。

Q02 貸付信託の受益証券は，金融商品取引法第２章が定める開示規制の適用除外となる有価証券である。

Q03 資産の流動化に関する法律に規定する特定社債券は，金融商品取引法第２章が定める開示規制の適用除外となる有価証券である。

Q04 抵当証券法に規定する抵当証券は，有価証券届出書の開示に関し，特定有価証券と位置づけられる。

Q05 有価証券投資事業権利等は，有価証券届出書の開示に関し，特定有価証券と位置づけられる。

A01　○

地方債証券（金商法2条1項2号）は，適用除外有価証券である（金商法3条1号）。

<11Ⅱ-19><15Ⅱ-17><21-19>

A02　○

金商法3条2号。　<11Ⅱ-19><15Ⅱ-17><19Ⅱ-19>

A03　×　**「適用除外となる有価証券」⇒「特定有価証券」**

特定有価証券（金商法5条1項柱書本文かっこ書，施行令2条の13第1号）であり，「特定有価証券の内容等の開示に関する内閣府令」により，詳細な開示内容が規定されている。

<09-19><11Ⅱ-19><15Ⅱ-17><21-19>

A04　○

金商法5条1項かっこ書，施行令2条の13第4号・金商法2条1項16号。　<09-19>

A05　○

金商法3条3号柱書かっこ書，5条1項柱書第1かっこ書，施行令2条の13第7号。　<15Ⅱ-17><21-19>

Q06　その社員の半数が個人である合名会社の社員権は，金融商品取引法上の有価証券とみなされる。

Q07　その無限責任社員のすべてが株式会社であり，かつ有限責任社員の半数が個人である合資会社の社員権は，金融商品取引法上の有価証券とみなされる。

Q08　その社員の過半数が個人である合同会社の社員権は，金融商品取引法上の有価証券とみなされる。

13−2 発行開示

Q01　「第１項有価証券の募集」とは，多数の者に対し，新たに発行される有価証券の取得の申込みの勧誘を行うことをいう。

Q02　株式会社が，株主に株式の割当てを受ける権利を与えることにより，株式を発行する場合，金融商品取引法上の「有価証券の募集」に該当することがある。

A06　×　「みなされる」⇒「みなされない」

2条2項後段は，①合名・合資会社の社員権（政令で定めるものに限る），②合同会社の社員権を有価証券とみなすとしている（金商法2条2項3号）。施行令1条の2は，合名会社の社員・合資会社の無限責任社員が株式会社または合同会社である場合に限って，合名会社・合資会社の社員権を有価証券としている。

＜10Ⅱ-19＞＜13Ⅱ-19＞

A07　○

金商法2条2項3号，施行令1条の2第2号イ。

＜10Ⅱ-19＞＜13Ⅱ-19＞

A08　○

金商法2条2項3号。＜10Ⅱ-19＞＜13Ⅱ-19＞＜19Ⅱ-19＞

A01　○

金商法2条3項1号。「多数の者」とは，金融商品取引法施行令で50名以上の者と定められている（施行令1条の5）。　＜17Ⅰ-20＞＜20Ⅰ-16＞

A02　○

多数の者を相手方として取得の申込みの勧誘を行うのであれば，募集（金商法2条3項1号）に該当する。

＜12Ⅰ-19＞

Q03　株式会社が，取得請求権付株式について当該株主による取得の請求により，新株予約権を発行する場合，金融商品取引法上の「有価証券の募集」に該当することがある。

Q04　株式の分割により株式の数が増加する場合，金融商品取引法上の「有価証券の募集」に該当することがある。

Q05　株式無償割当てにより株式を発行する場合，金融商品取引法上の「有価証券の募集」に該当することがある。

Q06　新株予約権無償割当てをする場合，金融商品取引法上の「有価証券の募集」に該当することがある。

A03 **×「該当することがある」⇒「該当しない」**

会社側からの取得の申込みの勧誘はないから，有価証券の募集（金商法2条3項1号）に該当しない（開示ガイドライン2-4）。 ＜12Ⅰ-19＞＜24Ⅱ-19＞

A04 **×「該当することがある」⇒「該当しない」**

株式の分割（会社法183条）により，株式の数が増加する場合は，取得の申込みの勧誘がないから，募集（金商法2条3項柱書）に該当しない（開示ガイドライン2-4）。

＜17Ⅱ-20＞

A05 **×「該当することがある」⇒「該当しない」**

株式無償割当て（会社法185条）により，株主は，効力発生日に無償割当てを受けた株式の株主となるので（会社法187条1項），取得の勧誘がなく有価証券の募集（金商法2条3項柱書）に該当しない（開示ガイドライン2-4）。 ＜12Ⅰ-19＞＜17Ⅱ-20＞

A06 **○**

新株予約権無償割当て（会社法277条）は，会社法185条の株式無償割当てと異なり，取得勧誘があり有価証券の募集（金商法2条3項柱書）に該当するとされている（開示ガイドライン2-3）。新株予約権の行使時の払込みを考慮すると，実質的には株主割当て（会社法202条）による株式の発行と同様と考えられるからである。

Q07　勧誘の相手方に適格機関投資家が含まれる場合であって，当該有価証券がその取得者である適格機関投資家から適格機関投資家以外の者に譲渡されるおそれが少ないものとして政令で定める場合に該当するときは，「第1項有価証券の募集」における多数の者の算定にあたっては，当該適格機関投資家は除かれる。

Q08　50名未満の者を相手として，新たに発行される株券の取得の申込みの勧誘を行う場合は，常に私募（少人数私募）となり，情報開示義務が課されることはない。

Q09　新たに発行される株券の取得の申込みの勧誘について，過去3か月以内に別の少人数向け発行が行われ，合計して50名以上となる場合には，今回の発行にかかわる勧誘は「募集」に該当する。

Q10　勧誘対象者が50名以上になるときでも，適格機関投資家のみを相手方として行う場合で，当該有価証券がその取得者から適格機関投資家以外の者に譲渡されるおそれが少ない場合には，募集又は売出しの届出を要しない。

A07　○

金商法2条3項1号かっこ書。

A08　**×　「常に」⇒「多数の者に所有されるおそれが少ない場合には」**

私募にあたるには，有価証券がその取得者から「多数の者に所有されるおそれが少ない」ものとして政令で定める場合に該当する必要がある（金商法2条3項2号ハ，施行令1条の7）。　<23Ⅱ-20>

A09　○

「3か月通算」ルール（金商法2条3項2号ハかっこ書，施行令1条の6）。令和4年施行令改正により，少人数私募の場合の人数通算期間が6か月から3か月に短縮された。

A10　○

プロ私募（金商法2条3項2号イ，4条1項柱書本文）。
<23Ⅱ-20>

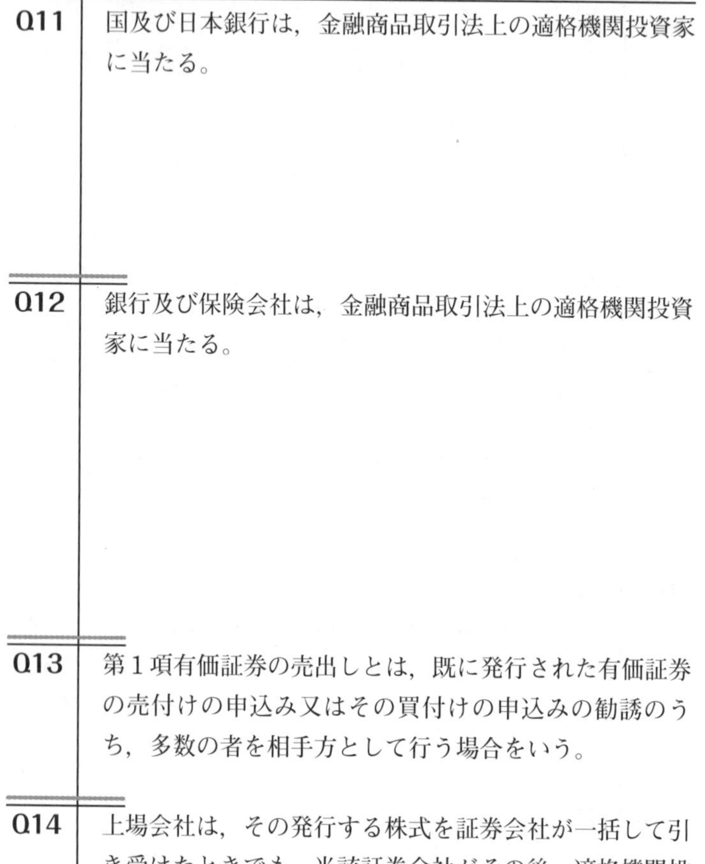

Q11 国及び日本銀行は，金融商品取引法上の適格機関投資家に当たる。

Q12 銀行及び保険会社は，金融商品取引法上の適格機関投資家に当たる。

Q13 第1項有価証券の売出しとは，既に発行された有価証券の売付けの申込み又はその買付けの申込みの勧誘のうち，多数の者を相手方として行う場合をいう。

Q14 上場会社は，その発行する株式を証券会社が一括して引き受けたときでも，当該証券会社がその後，適格機関投資家以外の者に対して，その株式の売出しをする場合には，内閣総理大臣に対し，有価証券届出書を提出する必要がある。

A11　×　「当たる」⇒「当たらない」

適格機関投資家とは，有価証券に対する投資に係る専門的知識及び経験を有する者として内閣府令で定める者をいう（金商法2条3項1号かっこ書，定義府令10条1項）。国及び日本銀行は，適格機関投資家には含まれない（金商法2条3項2号ロ(1)，2条31項参照）。　<15 I -17>

A12　○

金商法2条3項1号かっこ書，定義府令10条1項。定義府令10条1項は，①金融機関（ex.証券業者，投資法人，銀行，保険会社），②保有する有価証券残高が10億円以上の法人，③保有する有価証券残高が10億円以上かつ1年以上の取引経験のあるものとして金融庁長官に届出を行った個人等，を適格機関投資家として挙げている。

<15 I -17>

A13　○

金商法2条4項1号。　<24 II -19>

A14　○

金商法4条2項柱書。　<07-19>

Q15　会社法上の自己株式の処分は，金融商品取引法上，有価証券の売出しでなく募集として扱われる。

Q16　有価証券届出書は，有価証券市場で取引されるべき有価証券につき発行開示をさせるものであるから，非上場会社が社債を発行する場合，内閣総理大臣に対し，有価証券届出書の提出が義務づけられることはない。

Q17　ストック・オプションとして利用するために，新株予約権証券の発行者である株式会社が，当該株式会社の取締役を相手方として，当該株式会社の発行する新株予約権証券の取得勧誘を行う場合には，当該新株予約権証券に係る募集は，内閣総理大臣に募集に関する届出をしていなくてもすることができる。

Q18　特定投資家向け有価証券に関して開示が行われている場合には，特定投資家等取得有価証券一般勧誘は，発行者が当該特定投資家等取得有価証券一般勧誘に関し，内閣総理大臣に届出をしていなくてもすることができる。

Q19　有価証券届出書の提出義務を負うのは，発行価額又は売出価額が１億円以上の場合であり，原則として，１億円未満の場合には提出義務が免除される。

A15 ○

定義府令9条1号は，自己株式の処分を取得勧誘類似行為（商法2条3項柱書かっこ書）としており，募集に該当することがある。 ＜17Ⅰ-20＞

A16 × **「義務づけられることはない」⇒「義務づけられることもある」**

募集に該当すれば，有価証券届出書の提出が義務付けられる（金商法4条1項）。 ＜07-19＞＜23Ⅱ-20＞

A17 ○

募集の相手方がすでに情報を取得あるいは容易に取得できる場合であるから，届出義務が免除される（金商法4条1項1号，施行令2条の12）。 ＜15Ⅱ-18＞

A18 ○

特定投資家等取得有価証券一般勧誘の場合には，一般投資家の保護のため届出義務があるが（金商法4条3項柱書本文），当該有価証券に関して「開示が行われている場合」（金商法4条1項3号参照）であれば，一般投資家の保護に欠けないので，届出義務が免除される（金商法4条3項柱書ただし書）。 ＜15Ⅱ-18＞

A19 ○

金商法4条1項5号。 ＜15Ⅱ-18＞

Q20　吸収合併消滅会社の株式等に関して，開示が行われていたにもかかわらず，組織再編成発行手続により発行又は組織再編成交付手続により交付される有価証券に関して開示が行われていない場合には，当該有価証券の発行者に開示義務が課される。

Q21　合併の対価として株式を発行する場合は，有価証券の募集に該当しないので，有価証券届出書の提出が必要となることはない。

Q22　時価発行の新株発行において，払込期日の決定前に募集を行う必要がある場合には，募集に関する事項のうち発行価格を記載しないで有価証券届出書を提出することができる。

Q23　１年間継続して有価証券報告書を提出している会社は，有価証券届出書の記載方式として，「企業情報」について，直近の有価証券報告書とその添付書類並びにその提出以後に提出される半期報告書とそれらの訂正報告書の写しをとじ込み，かつ，当該有価証券報告書提出後に生じた重要な事実を追完情報として記載することにより，直接の記載に代えることができる。

A20　○

金商法4条1項本文，同条同項2号。　＜24Ⅱ-19＞

A21　**×　「必要となることはない」⇒「一定の場合，必要となる」**

金商法4条1項本文，同条同項2号。　＜09-20＞

A22　○

有価証券届出書には証券情報と企業情報とが記載されるが（金商法5条1項），時価発行では，届出の段階で発行価格が確定していない場合がある。そこで，証券情報のうち「当該有価証券の発行価格の決定前に募集をする必要がある場合その他の内閣府令で定める場合には」，「発行価格その他の内閣府令で定める事項」を記載しなくてもよい（金商法5条1項柱書ただし書，開示府令9条）。

＜15Ⅱ-18＞

A23　○

組込方式（金商法5条3項，開示府令9条の3）。

Q24 有価証券届出書について組込方式を利用できる場合には，証券情報の記載を省略できる。

Q25 有価証券届出書について参照方式を利用できるのは，①１年以上継続して有価証券報告書を提出しており，②その会社に関する企業情報が既に公衆に広範に提供されているものとして内閣府令で定められた基準（＝周知性要件），を満たした会社である。

Q26 募集又は売出しの届出を要する有価証券は，募集又は売出しの届出前には，募集又は売出しをすること（勧誘行為を行うこと）ができない。

Q27 募集又は売出しの届出は，原則として，内閣総理大臣が有価証券届出書を受理した日から15日を経過した日に効力を生ずる。

Q28 有価証券届出書の提出後，その効力が発生するまでの期間（いわゆる待機期間）は，投資者に新規発行の有価証券を取得させることは禁止されるが，取得の勧誘を行うことは禁止されていない。

Q29 有価証券届出書のうちに重要な事項について虚偽の記載又は記載もれがある場合には，内閣総理大臣の命令の有無にかかわらず，その有価証券届出書の提出者は訂正届出書を提出しなければならない。

A24 × 「省略できる」⇒「省略できない」

証券情報は，発行の都度内容が異なるので，有価証券届出書に直接記載しなければならない（金商法5条3項）。

A25 ○

金商法5条4項，開示府令9条の4。

A26 ○

金商法4条1項。

A27 ○

金商法8条1項。

A28 ○

金商法4条1項, 15条1項。

<09-20><11Ⅱ-20><20Ⅱ-19>

A29 ○

金商法7条後段。 <07-19>

Q30　有価証券届出書中の重要な記載事項について虚偽の記載があった場合，内閣総理大臣は，提出した企業に対し，一定期間，届出の効力の停止を命令することができる。

Q31　発行登録を利用できるのは，有価証券届出書を参照方式によって作成することができる発行者である。

Q32　発行登録に係る有価証券の発行予定期間は，内閣総理大臣が発行登録書を受理した日から２年を超えない範囲内に限られる。

Q33　発行登録の効力が発生している場合には，直ちに募集又は売出しにより当該有価証券を投資者に取得させ，又は売り付けることができる。

Q34　非上場会社が有価証券の発行を予定している場合でも，発行予定期間，発行予定有価証券の種類等の発行登録をしておくことにより，実際の発行の際には有価証券届出書の提出義務を免れることができる。

Q35　内閣総理大臣が受理した有価証券届出書は，５年間公衆の縦覧に供される。

A30　○

金商法10条，11条。　＜06-20＞

A31　○

金商法23条の3第1項本文・5条4項。

A32　×　**「内閣総理大臣が発行登録書を受理した日から」**

⇒「発行登録の効力が生じた日から起算して」

金商法23条の6第1項。なお，発行登録の効力は，内閣総理大臣が発行登録書を受理した日から，原則として15日を経過した日に生ずる（金商法23条の5第1項・8条1項）。　＜13Ⅰ-19＞＜20Ⅰ-20＞

A33　×　**「直ちに」**

⇒「発行登録追補書類を内閣総理大臣に提出すれば」

金商法23条の8第1項。　＜20Ⅰ-20＞

A34　×　**「有価証券の発行」⇒「社債の発行」**

非上場会社が発行登録制度を利用できるのは，「社債」を発行する場合に限られる（金商法23条の3第1項・5条4項，開示府令9条の4第5項4号）。

＜07-19＞＜20Ⅰ-20＞

A35　○

金商法25条1項1号。　＜12Ⅱ-19＞

Q36	有価証券届出書は，発行開示書類であり，かつ間接開示されるものである。
Q37	有価証券を取得させ，又は売り付ける場合には，原則として，有価証券届出書に記載すべき事項などを記載した目論見書を作成し，あらかじめ，投資者に交付しなければならない。
Q38	目論見書は，発行開示書類であり，かつ間接開示されるものである。
Q39	金融商品取引所に株式を上場している株式会社は，株主に株式の割当てを受ける権利を与えずに，自己株式の処分をする場合に，申込みをしようとする者に対して目論見書を交付しているときは，その者に対して募集事項等を通知する必要がない。
Q40	新たに国債を大量に発行する場合，国は取得させようとする投資者に対し，あらかじめ又は同時に目論見書を交付しなければならない。
Q41	同居者が既に目論見書の交付を受けている者に対しては，その者の同意があれば，当該目論見書を交付する必要はない。

A36　○

発行開示書類（金商法4条1項, 5条）, 間接開示（同法25条1項1号）。　＜06-19＞＜17Ⅰ-19＞

A37　×　**「あらかじめ」⇒「あらかじめまたは契約締結と同時に」**

金商法15条2項柱書本文。

A38　×　**「間接開示」⇒「直接開示」**

発行開示書類（金商法13条1項）, 直接開示（同法15条2項）。　＜06-19＞＜12Ⅱ-19＞＜17Ⅰ-19＞

A39　○

会社法203条4項, 金商法15条2項。　＜08-19＞

A40　×　**「交付しなければならない」⇒「交付しなくてもよい」**

国債証券は, 企業内容等の開示の適用除外有価証券である（金商法3条1号, 2条1項1号）。　＜07-19＞

A41　○

金商法15条2項2号ロ。　＜13Ⅰ-19＞

Q42 有価証券通知書を内閣総理大臣に提出する手続を行う者は，政令で定めるところにより，開示用電子情報処理組織を使用して行わなければならない。

Q43 有価証券届出書中の重要な記載事項について虚偽の記載があった場合，提出した企業は，記載が虚偽であることを知らずに募集又は売出しに応じて有価証券を取得して損害を被った者に対して，賠償責任を負う。

Q44 重要な事項について虚偽の記載がある有価証券届出書の届出者が金融商品取引法18条に基づいて負う損害賠償責任は，虚偽記載について故意又は過失がなかったことを証明すれば，免れることができる。

Q45 有価証券届出書のうちに，重要な事項について虚偽の記載がある場合，当該有価証券届出書の届出者は，当該有価証券を募集又は売出しに応じて取得した者に対し，当該有価証券を取得した者がその取得の申込みの際その記載が虚偽であることを知っているときでも，損害賠償責任を負う。

A42　**×　「使用して行わなければならない」**

⇒「使用して行うことも，書面で行うこともできる」

有価証券通知書の提出は「任意電子開示手続」であり，書面で行うことも開示用電子情報処理組織を使用して行うこともできる（金商法27条の30の2, 27条の30の3第2項）。　<11Ⅱ-20>

A43　**○**

金商法18条1項。　<06-20><11Ⅰ-20>

A44　**×　「証明すれば，免れることができる」**

⇒「証明しても，免れることができない」

金商法18条1項の責任は，無過失責任と解されている（⇔金商法21条2項と対比せよ）。

<16Ⅰ-19><18Ⅱ-19>

A45　**×　「損害賠償責任を負う」**

⇒「損害賠償責任を負わない」

有価証券を取得した者がその取得の申込みの際，記載が虚偽であることを知っていた場合には，届出者は損害賠償責任を負わない（金商法18条1項ただし書）。

<11Ⅰ-20>

13－3 継続開示

Q01　株式の募集に際して，金融商品取引法によって内閣総理大臣に届出をした株式会社は，株式を証券取引所に上場していなくても，有価証券報告書を内閣総理大臣に提出する義務を負う。

Q02　有価証券報告書には，事業年度ごとに，当該会社の属する企業集団及び当該会社の経理の状況その他事業内容に関する重要な事項などが記載される。

Q03　有価証券報告書は，事業年度経過後３か月以内に内閣総理大臣に提出するのが原則である。

Q04　外国会社報告書には，その全部の日本語による翻訳文を添付しなければならない。

Q05　有価証券報告書等に不実記載があった場合，募集又は売出しによらず有価証券を取得した者，又は処分した者は，発行会社に対して，不実記載により生じた損害賠償請求をすることができる。

A01 ○

金商法24条1項3号。

A02 ○

金商法24条1項。 <20 I -19>

A03 ○

金商法24条1項柱書本文。

A04 × 「その全部の」⇒「内閣府令で定める」

外国会社報告書には，内閣府令で定めるところにより，当該外国会社報告書に記載されている事項のうち公益または投資者保護のため必要かつ適当なものとして内閣府令で定めるものの要約の日本語による翻訳文を添付しなければならない（金商法24条9項）。 <13 I -20>

A05 ○

金商法21条の2第1項。 <13 II -20>

Q06　有価証券報告書の提出者が負担する損害賠償責任については，賠償額の限度が法定されている。

Q07　有価証券報告書のうちに，重要な事項について虚偽の記載があるときは，有価証券報告書の提出者は，故意又は過失がないことを証明した場合であっても損害賠償責任を負う。

Q08　有価証券報告書を提出した株式会社の監査証明に係る書類について，虚偽でない旨の監査証明をした公認会計士は，故意又は過失がないことを証明した場合であっても損害賠償責任を負う。

Q09　有価証券報告書を提出しなければならないすべての会社は，当該有価証券報告書の記載内容が金融商品取引法令に基づき適正であることを確認した旨を記載した確認書を当該有価証券報告書と併せて内閣総理大臣に提出しなければならない。

Q10　有価証券報告書に係る確認書は，内閣総理大臣が当該書類を受理した日から５年の期間を経過する日までの間，公衆縦覧に供されなければならない。

A06　○

金商法21条の2第1項・19条1項。

＜11Ⅰ-20＞＜13Ⅱ-20＞

A07　**×　「負う」⇒「負わない」**

流通市場における提出会社の責任（金商法21条の2第1項）は，従来は無過失責任とされていたが，平成26年改正は提出会社が「当該書類の虚偽記載等について故意又は過失がなかつたことを証明したときは，同項に規定する賠償の責めに任じない」（金商法21条の2第2項）として，「無過失責任」を「過失責任」に見直した。

＜13Ⅱ-20＞＜18Ⅰ-19＞

A08　**×　「負う」⇒「負わない」**

金商法24条の4・22条2項・21条2項2号。

＜13Ⅱ-20＞＜18Ⅰ-20＞

A09　**×　「すべての会社」**

⇒「上場会社その他政令で定めるもの」

金商法24条の4の2第1項，施行令4条の2の5第1項。

＜11Ⅰ-19＞＜13Ⅰ-20＞＜22Ⅱ-19＞

A10　○

有価証券報告書は５年間公衆縦覧に供される（金商法25条1項4号）。その確認書の公衆縦覧期間も５年間である（金商法25条1項3号）。　＜19Ⅰ-19＞

Q11　確認書を有価証券報告書と併せて内閣総理大臣に提出しなければならない会社は，訂正報告書を提出する場合，当該訂正報告書の記載内容に係る確認書を当該訂正報告書と併せて内閣総理大臣に提出しなければならない。

Q12　有価証券報告書を提出しなければならない会社は，四半期報告書又は半期報告書を提出する義務を負う。

Q13　上場会社は，半期報告書と併せて，その記載内容が金融商品取引法令に基づき適正であることを確認した旨を記載した確認書を内閣総理大臣に提出しなければならない。

Q14　半期報告書の記載内容に係る確認書は，内閣総理大臣が当該書類を受理した日から５年の期間を経過する日までの間，公衆縦覧に供されなければならない。

A11　○

金商法24条の4の2第4項。　＜11Ⅱ-20＞＜22Ⅱ-19＞

A12　× **「四半期報告書又は半期報告書」⇒「半期報告書」**

令和５年改正により，四半期報告書が廃止されたことで，有価証券報告書を提出しなければならないすべての会社に半期報告書の提出が義務付けられることになった(金商法24条の5第1項)。　＜08-19＞＜13Ⅰ-20＞＜14Ⅰ-19＞＜17Ⅱ-19＞＜19Ⅱ-20＞

A13　○

金商法24条の5の2第1項・24条の4の2。

＜10Ⅰ-19＞＜19Ⅰ-19＞

A14　○

半期報告書の公衆縦覧期間は５年（金商法25条1項6号）であり，その確認書の公衆縦覧期間も５年である（金商法25条1項7号)。　＜11Ⅰ-19＞

Q15　有価証券報告書の記載内容に係る確認書に虚偽記載があったときは，金融商品取引法上，過料の対象となるが，損害賠償責任は定められていない。

Q16　上場会社その他の政令で定めるものは，事業年度ごとに，当該会社の属する企業集団及び当該会社に係る財務計算に関する書類その他の情報の適正性を確保するために必要な体制について評価した報告書（内部統制報告書）を有価証券報告書と併せて内閣総理大臣に提出しなければならない。

Q17　有価証券の募集又は売出しを行ったすべての会社は，内部統制報告書を提出しなければならない。

Q18　内部統制報告書は公認会計士又は監査法人の監査証明を受ける必要はない。

Q19　金融商品取引所に株券を上場している株式会社は，臨時報告書の提出義務を負うことがない。

A15　**×　「過料の対象となるが」⇒「過料の対象とされておらず」**

確認書に虚偽記載がある場合について，罰則も民事責任も規定がない。有価証券報告書等の虚偽記載の罰則（金商法197条1項1号等），民事責任（金商法21条の2第1項等）の規定を適用すれば足りるからである。

＜11Ⅰ-20＞

A16　**○**

金商法24条の4の4第1項。

＜11Ⅰ-19＞＜13Ⅰ-20＞＜20Ⅰ-20＞

A17　**×　「すべての会社は」**
⇒「上場会社その他の政令で定めるものは」

金商法24条の4の4第1項，施行令4条の2の7第1項。

＜09-20＞＜20Ⅰ-20＞

A18　**×　「必要はない」⇒「必要がある」**

金商法193条の2第1項2項。　＜10Ⅰ-19＞＜20Ⅰ-20＞

A19　**×　「負うことがない」⇒「負う」**

有価証券報告書を提出しなければならない会社は，臨時報告書を提出する義務を負う（金商法24条の5第4項）。上場会社は，有価証券報告書を提出しなければならない（金商法24条1項1号）。　＜17Ⅱ-19＞

Q20　有価証券報告書を提出しなければならない会社は，その会社が発行者である有価証券の募集又は売出しが外国において行われるとき，臨時報告書を提出しなければならない。

Q21　有価証券報告書を提出しなければならない会社は，当該会社の主要株主の異動があった場合，臨時報告書を提出しなければならない。

Q22　有価証券報告書を提出しなければならない会社は，当該会社に重要な災害が発生し，それがやんだ場合で，被害が当該会社の事業に著しい影響を及ぼすと認められる場合，臨時報告書を提出しなければならない。

Q23　有価証券報告書を提出しなければならない会社は，当該会社の株主総会において決議事項が決議された場合，臨時報告書を提出しなければならない。

Q24　有価証券報告書を提出しなければならない会社は，連結子会社に係る重要な災害が発生し，それがやんだ場合で，当該重要な災害による被害が当該連結会社の事業に著しい影響を及ぼすと認められる場合，臨時報告書を提出しなければならない。

Q25　有価証券報告書を提出しなければならない会社は，当該会社の親会社に重要な災害が発生した場合，臨時報告書を提出しなければならない。

A20　○

金商法24条の5第4項，開示府令19条2項1号。

<20Ⅰ-19>

A21　○

金商法24条の5第4項，開示府令19条2項4号。

<16Ⅱ-19>

A22　○

金商法24条の5第4項，開示府令19条2項5号。

A23　○

金商法24条の5第4項，開示府令19条2項9号の2。

<16Ⅱ-19>

A24　○

金商法24条の5第4項，開示府令19条2項13号

A25　×　**「提出しなければならない」**

⇒「提出する必要はない」

そのような規定はない（金商法24条の5第4項，開示府令19条1項2項参照）。

Q26　親会社等状況報告書を提出するのは，子会社である。

Q27　親会社等状況報告書の提出子会社は，有価証券報告書を提出しなければならない会社で，かつ，金融商品取引所に上場されている有価証券又は流通状況が当該有価証券に準ずるものの発行者に限られる。

Q28　有価証券報告書提出会社の議決権の過半数を所有している会社であっても，その会社が有価証券報告書提出会社であれば，親会社等状況報告書を提出する必要はない。

Q29　上場株券等を発行する会社は，自己の株式の取得決議のあった株主総会又は取締役会の終結した日の属する月から，自己株券買付状況報告書を提出しなければならない。

Q30　上場株券等を発行する会社がその定めた買付期間中に自己の株式に係る上場株券等の買付けを行わなかったときは，当該発行会社は，自己株券買付状況報告書の提出を要しない。

13−4 公開買付けに関する開示

Q01　有価証券の公開買付けとは，不特定かつ多数の者に対し，公告により株券等の買付け等の申込み又は売付け等の申込みの勧誘を行い，取引所金融商品市場外で株券等の買付け等を行うことをいう。

A26　**×　「子会社」⇒「親会社」**
金商法24条の7第1項。

A27　**○**
金商法24条の7第1項　＜23Ⅰ-20＞

A28　**○**
金商法24条の7第1項かっこ書。
＜09-20＞＜17Ⅱ-19＞＜19Ⅱ-20＞

A29　**○**
金商法24条の6第1項。
＜14Ⅰ-17＞＜17Ⅱ-19＞＜19Ⅱ-20＞＜24Ⅱ-20＞

A30　**×　「提出を要しない」⇒「提出しなければならない」**
買付けを行わなかった場合も，自己株券買付状況報告書を提出しなければならない（金商法24条の6第1項かっこ書）。　＜14Ⅰ-17＞＜24Ⅱ-20＞

A01　**○**
金商法27条の2第6項。

Q02	公開買付けの対象となる会社は，株券等を金融商品取引所に上場している会社である。
Q03	有価証券報告書を提出する必要がない株式会社の株式を有する多数の株主から相対取引によって当該株式を取得するときは，公開買付けによらなければならない場合がありうる。
Q04	公開買付けの対象となる有価証券は，株式会社の支配権にかかわる株券と新株予約権証券等であり，社債や議決権のない株式は公開買付けの対象から除外される。
Q05	金融商品取引所に上場されている株式の無償贈与を受けるときには，公開買付けによらなければならない場合がありうる。
Q06	多数の者から市場外で株券等を買い付け，買付け後に，株券等所有割合が５％を超える場合には，公開買付けの手続によらなければならない。
Q07	少数の者からの市場外での株券等の買付けであっても，買付け後の株券等所有割合が３分の１を超える場合には，公開買付けの手続によらなければならない。

A02　×「株券等を金融商品取引所に上場している会社」
⇒「有価証券報告書を提出しなければならない会社」
金商法27条の2第1項柱書本文。

A03　×「必要がない」⇒「必要がある」
公開買付けの対象となる会社は，有価証券報告書の提出義務のある会社である（金商法27条の2第1項柱書）。
<07-20>

A04　○
金商法27条の2第1項柱書本文，施行令6条1項柱書かっこ書，公開買付府令第2条。
<07-20><12Ⅱ-20><15Ⅰ-18><20Ⅱ-20>

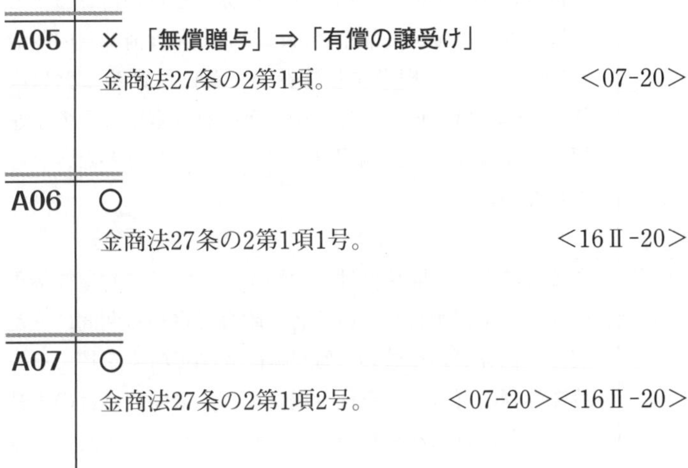

A05　×「無償贈与」⇒「有償の譲受け」
金商法27条の2第1項。　<07-20>

A06　○
金商法27条の2第1項1号。　<16Ⅱ-20>

A07　○
金商法27条の2第1項2号。　<07-20><16Ⅱ-20>

Q08　取引市場における有価証券の売買等であって，競売買の方法以外の方法による有価証券の売買等として内閣総理大臣が定める特定売買等（トストネット取引等）で買付けを行い，買付け後に，株券等所有割合が３分の１を超える場合には，公開買付けの手続によらなければならない。

Q09　金融商品取引所に上場されている株式の市場内での取得であっても，取引所有価証券市場における競売買以外の方法によって有償取得するときには，公開買付けによらなければならない場合がありうる。

Q10　３か月の間に，取引所金融商品市場において発行済株式の総数の100 分の３に相当する株券等を買い付けるとともに，取引所金融商品市場外において発行済株式の総数の100 分の10に相当する株券等を買い付けることにより，その買付け後における株券等所有割合が３分の１を超える場合には，公開買付けの手続により行わなければならない。

Q11　ある者による公開買付けの実施中に，すでに対象株券等を３分の１超所有している者が政令で定める期間に一定割合（株券等の総数の５%，施行令7条6項）を超える当該株券等の買付け等を行う場合には，公開買付けの手続によらなければならない。

A08　○

金商法27条の2第1項3号。　＜12Ⅰ-20＞

A09　○

金商法27条の2第1項3号。　＜07-20＞

A10　○

金商法27条の2第1項4号，施行令7条2項3項4項。

A11　○

金商法27条の2第1項5号。　＜16-20＞

Q12 公開買付者は，公開買付開始公告の日に，公開買付開始公告で明示した事項や買付条件，公開買付けの目的，公開買付者に関する事項その他の内閣府令で定める事項を記載した公開買付届出書を内閣総理大臣に提出しなければならない。

Q13 公開買付者等は，公開買付開始公告が行われた日の翌日以後は，当該公開買付者が公開買付届出書を内閣総理大臣に提出していなければ，売付け等の申込みの勧誘その他の当該公開買付けに係る内閣府令で定める行為をしてはならない。

Q14 内閣総理大臣は，内閣府令で定めるところにより，公開買付届出書を，当該書類を受理した日から当該公開買付けに係る公開買付期間の末日の翌日以後５年を経過する日までの間，公衆の縦覧に供しなければならない。

Q15 公開買付者は公開買付説明書を作成し，これを株券等の売付け等を行おうとする者に交付しなければならない。

Q16 公開買付対象者は，内閣府令で定めるところにより，公開買付開始公告が行われた日から10営業日以内に意見表明報告書を内閣総理大臣に提出しなければならない。

A12　○

金商法27条の3第2項。

A13　○

金商法27条の3第3項。

A14　○

金商法27条の14第1項。　<12 I -20>

A15　○

金商法27条の9第1項2項。　<17 I -19>

A16　○

金商法27条の10第1項，施行令13条の2第1項。

<10 II -20><14 II -17><17 I -19>

Q17　意見表明報告書に公開買付者に対する質問が記載されていた場合には，当該意見表明報告書の写しの送付を受けた公開買付者は，当該送付を受けた日から政令で定める期間内に，内閣府令で定めるところにより，当該質問に対する回答（当該質問に対して回答する必要がないと認めた場合には，その理由）その他の内閣府令で定める事項を記載した対質問回答報告書を内閣総理大臣に提出しなければならない。

Q18　公開買付けによる株券等の買付け等は，政令で定める期間内で買付け等の期間を定めて，行わなければならない。

Q19　公開買付開始公告に記載された買付け等の期間が，30営業日である場合，意見表明報告書には，当該公開買付けに関する意見のほか，当該買付け等の期間を60営業日に延長することを請求する旨及びその理由を記載することができる。

Q20　公開買付けを行う場合には，その買付価格は均一の条件でなければならない。

Q21　公開買付者は，公開買付期間中は，原則として，公開買付けによらないで公開買付けに係る株券等の買付け等をしてはならない。

A17　○

金商法27条の10第11項。なお，回答をする必要がないと認めた場合には，その旨およびその理由を記載した対質問回答書（公開買付府令25条3項2号）を内閣総理大臣に提出しなければならない。

<10Ⅱ-20><12Ⅰ-20><14Ⅱ-17>

A18　○

金商法27条の2第2項。政令は，公開買付開始公告をした日から20営業日以上60営業日以内と定めている（施行令8条1項）。

A19　×　**「30営業日」⇒「30営業日未満」**
「60営業日」⇒「30営業日」

金商法27条の10第2項2号3項，施行令9条の3第6項。

<10Ⅱ-20>

A20　○

金商法27条の2第3項。　<10Ⅰ-20>

A21　○

金商法27条の5本文。なお，同条ただし書各号の例外に注意。　<12Ⅰ-20>

Q22 公開買付者は，①買付け等の価格の引下げ，②買付予定の株券等の数の減少，③買付け等の期間の短縮，④その他政令で定める買付条件等の変更はできない。

Q23 公開買付者が，対象会社が株式分割その他の政令で定める行為を行ったときは買付け等の価格引げを行うことがある旨の条件をあらかじめ付した場合には，買付け等の価格引下げが認められる。

Q24 公開買付者は，公開買付開始公告において，公開買付けの撤回をすることがある旨の条件を付した場合でなくても，自由に公開買付けを撤回することができる。

Q25 公開買付けに係る株券等の買付け等の申込みに対する承諾又は売付け等の申込みをした者は，当該公開買付けに係る契約の解除をすることができない。

Q26 買付けに係る応募株券等の数等の公告を行った公開買付者は，内閣府令で定めるところにより，当該公告を行った日に，公開買付報告書を内閣総理大臣に提出しなければならない。

A22　○

金商法27条の6第1項。ただし，買付け等の価格の引下げについて，次の**Q23**を参照。

<12Ⅰ-20><19Ⅰ-20>

A23　○

金商法27条の6第1項1号かっこ書。　<12Ⅰ-20>

A24　×　「できる」⇒「できない」

金商法27条の11第1項。　<10Ⅰ-20><19Ⅰ-20>

A25　×　「できない」⇒「できる」

金商法27条の12第1項。対抗的な公開買付けがなされたときに，株主がそれに対応した行動をとることのできるようにしたものである。　<12Ⅱ-20><19Ⅰ-20>

A26　○

金商法27条の13第2項。　<11Ⅱ-20>

13−5 大量保有状況の開示

Q01 金融商品取引法第2章の3「株券等の大量保有の状況に関する開示」の対象となる有価証券は，公開会社の発行する株券や新株予約権付社債のように議決権に関係ある有価証券である。

Q02 大量保有報告書の対象となる有価証券は，株券等の株券関連有価証券であって，株主総会における議決権をまったく持たない株券も対象となる。

Q03 新株予約権付社債券は大量保有報告制度の適用対象となるが，国債証券や抵当証券はその適用対象とならない。

Q04 上場会社の発行する株券等の保有割合が100分の５を超える保有者は，所定の書式にしたがって，保有することとなった日から５営業日以内に内閣総理大臣に大量保有報告書を提出しなくてはならない。

Q05 大量保有報告書には，株券等の保有目的や取得資金に関する事項などを記載しなければならない。

A01　○

金商法27条の23第1項2項，施行令14条の4, 14条の5の2。

<08-20>

A02　× 「対象となる」⇒「対象とならない」

金商法27条の23第1項2項，施行令14条の4, 14条の5の2。

A03　○

大量保有報告制度の対象となるのは，株券関連有価証券である（金商法27条の23第1項2項，施行令14条の4第1項)。 <08-20>

A04　○

金商法27条の23第1項。いわゆる５％ルールである。

<17Ⅱ-20>

A05　○

金商法27条の23第1項，大量保有府令2条1項，第1号様式。 <14Ⅱ-18><17Ⅱ-20><21-20>

Q06　大量保有報告書の報告対象となる株券等の発行会社は上場会社及び店頭売買有価証券の発行会社に限られない。

Q07　証券会社，銀行，信託会社等については特例報告制度が設けられているが，特例報告制度が適用されるのは，「事業活動に重大な変更を加え，又は重大な影響を及ぼす行為として政令で定めるもの（重要提案行為等）を行うことを保有の目的としないもの」に限られる。

Q08　重要提案行為を行うことを目的として，大量保有報告制度の適用対象となる有価証券の大量保有者になった者は，その日から５営業日以内に，大量保有報告書を内閣総理大臣に提出しなければならない。

Q09　大量保有者は，報告書提出後，保有割合が１％以上増減した場合には，原則として，その日から５営業日以内に，内閣総理大臣に変更報告書を提出しなければならない。

Q10　大量保有者は，大量保有報告書の提出後も，この制度の適用対象となる有価証券の保有割合に関する変更報告書を内閣総理大臣に毎月提出しなければならない。

Q11　上場会社の株券等保有割合が５％を超える者が，その割合が２％になったために変更報告書を提出し，その後，当該保有割合が増加して４％になったときには，変更報告書の提出をする必要はない。

A06　**×　「限られない」⇒「限られる」**

金商法27条の23第1項，施行令14条の4第2項。

A07　**○**

金商法27条の26第1項，施行令14条の8の2第1項。

A08　**○**

重要提案行為を目的とする株券等の保有については，特例報告制度の適用はない（金商法27条の23第1項，27条の26第1項）。　<08-20>

A09　**○**

金商法27条の25第1項，施行令14条の8の2第3項。なお，５営業日につき27条の23第1項第7かっこ書参照。

<08-20>

A10　**×　「毎月」**

⇒「報告書提出後，保有割合が1%以上増減した場合」

金商法27条の25第1項。　<08-20>

A11　**○**

金商法27条の25第1項ただし書。　<10Ⅰ-20>

MEMO

〈執筆〉

田﨑晴久（たさき　はるひさ）

TAC公認会計士講座　企業法講師

公認会計士試験　短答式試験対策シリーズ

企業法　早まくり肢別問題集　第11版

2009年9月10日　2010年度版（初版）　第1刷発行

2024年9月30日　第11版　第1刷発行

著　者　田　﨑　晴　久

発行者　多　田　敏　男

発行所　ＴＡＣ株式会社　出版事業部（ＴＡＣ出版）

〒101-8383

東京都千代田区神田三崎町3-2-18

電話 03（5276）9492（営業）

FAX 03（5276）9674

https://shuppan.tac-school.co.jp

印　刷　株式会社　ワ　コ　ー

製　本　株式会社　常　川　製　本

ISBN 978-4-300-11287-8

N.D.C. 336

乱丁・落丁による交換、および正誤のお問合せ対応は、該当書籍の改訂版刊行月末日までといたします。なお、交換につきましては、書籍の在庫状況等により、お受けできない場合もございます。

また、各種本試験の実施の延期、中止を理由とした本書の返品はお受けいたしません。返金もいたしかねますので、あらかじめご了承くださいますようお願い申し上げます。

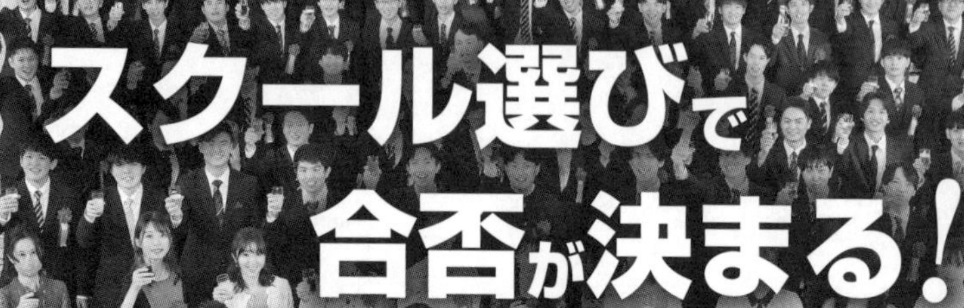

スクール選びで
合否が決まる!

業界初
TAC×会計士
1万人突破!

［東京会場］
東京マリオットホテル

実績で選ぶならTAC!

令和5年度　公認会計士試験
TAC 合格祝賀パーティー

［大阪会場］
ホテル阪急インターナショナル

新試験制度制定後
2006年～2023年
公認会計士論文式試験
TAC本科生合格者
累計実績※

10,062名※

2006年633名＋2007年1,320名＋2008年1,170名＋2009年806名＋2010年885名＋2011年554名＋2012年550名＋2013年458名＋2014年415名
＋2015年372名＋2016年385名＋2017年352名＋2018年357名＋2019年360名＋2020年401名＋2021年289名＋2022年410名＋2023年345名

※　TAC本科生合格者とは、目標年度の試験に合格するために必要と考えられる講義・答案練習・公開模試・試験委員対策・法令改正等をパッケージ化したTACのコースにおいて、合格に必要な科目を全て受講し、かつ最終合格された方を指します。なお、過年度の科目合格者が最終合格された場合、①合格に必要な科目をTACで全て受講し、かつ②受講した年度に科目合格している方は合格者に含めています。
※　写真は2023年合格祝賀パーティーのものです。

(2024年2月現在)

書籍のご購入は

1 全国の書店、大学生協、ネット書店で

2 TAC各校の書籍コーナーで

資格の学校TACの校舎は全国に展開!
校舎のご確認はホームページにて

資格の学校TAC ホームページ
https://www.tac-school.co.jp

3 TAC出版書籍販売サイトで

24時間
ご注文
受付中

TAC 出版 で 検索

https://bookstore.tac-school.co.jp/

新刊情報を
いち早くチェック!

たっぷり読める
立ち読み機能

学習お役立ちの
特設ページも充実!

TAC出版書籍販売サイト「サイバーブックストア」では、TAC出版および早稲田経営出版から刊行されている、すべての最新書籍をお取り扱いしています。

また、会員登録(無料)をしていただくことで、会員様限定キャンペーンのほか、送料無料サービス、メールマガジン配信サービス、マイページのご利用など、うれしい特典がたくさん受けられます。

サイバーブックストア会員は、特典がいっぱい! (一部抜粋)

通常、1万円(税込)未満のご注文につきましては、送料・手数料として500円(全国一律・税込)頂戴しておりますが、1冊から無料となります。

専用の「マイページ」は、「購入履歴・配送状況の確認」のほか、「ほしいものリスト」や「マイフォルダ」など、便利な機能が満載です。

メールマガジンでは、キャンペーンやおすすめ書籍、新刊情報のほか、「電子ブック版 TACNEWS(ダイジェスト版)」をお届けします。

書籍の発売を、販売開始当日にメールにてお知らせします。これなら買い忘れの心配もありません。

公認会計士試験対策書籍のご案内

TAC出版では、独学用およびスクール学習の副教材として、各種対策書籍を取り揃えています。
学習の各段階に対応していますので、あなたのステップに応じて、合格に向けてご活用ください!

短答式試験対策

- ・財務会計論【計算問題編】
- ・財務会計論【理論問題編】
- ・管理会計論
- ・監査論
- ・企業法

『ベーシック問題集』シリーズ A5判

● 短答式試験対策を本格的に始めた方向け、苦手論点の克服、直前期の再確認に最適!

- ・財務会計論【計算問題編】
- ・財務会計論【理論問題編】
- ・監査論
- ・企業法

『アドバンスト問題集』シリーズ A5判

● 『ベーシック問題集』の上級編。より本試験レベルに対応しています

『財務会計論会計基準 早まくり条文別問題集』

B6変型判

● ○×式の一問一答で会計基準を早まくり

◎ 論文式試験対策にも使えます

論文式試験対策

- ・財務会計論【計算編】
- ・管理会計論

『新トレーニング』シリーズ B5判

● 基本的な出題パターンを網羅。効率的な解法による総合問題の解き方を身に付けられます!

◎ 各巻数は、TAC公認会計士講座のカリキュラムにより変動します

◎ 管理会計論は、短答式試験対策にも使えます

過去問題集

『短答式試験 過去問題集』
『論文式試験必修科目 過去問題集』
『論文式試験選択科目 過去問題集』

A5判

● 直近3回分の問題を、ほぼ本試験形式で再現。TAC講師陣による的確な解説付き

企業法対策

公認会計士試験の中で毛色の異なる法律科目に対して苦手意識のある方向け。弱点強化、効率学習のためのラインナップです

入門

『はじめての会社法』
A5判　田﨑 晴久 著

● 法律の知識ゼロの人でも、これ1冊で会社法の基礎がわかる!

短答式試験対策

『企業法早まくり肢別問題集』
B6変型判　田﨑 晴久 著

● 本試験問題を肢別に分解、整理。簡潔な一問一答式で合格に必要な知識を網羅!

・2023年11月現在・刊行内容、装丁等は変更になることがあります
・とくに記述がある商品以外は、TAC公認会計士講座編です

書籍の正誤に関するご確認とお問合せについて

書籍の記載内容に誤りではないかと思われる箇所がございましたら、以下の手順にてご確認とお問合せをしてくださいますよう、お願い申し上げます。

なお、正誤のお問合せ以外の**書籍内容に関する解説および受験指導などは、一切行っておりません。**

そのようなお問合せにつきましては、お答えいたしかねますので、あらかじめご了承ください。

1 「Cyber Book Store」にて正誤表を確認する

TAC出版書籍販売サイト「Cyber Book Store」の
トップページ内「正誤表」コーナーにて、正誤表をご確認ください。

CYBER BOOK STORE TAC出版書籍販売サイト

URL:https://bookstore.tac-school.co.jp/

2 1の正誤表がない、あるいは正誤表に該当箇所の記載がない ⇒ 下記①、②のどちらかの方法で文書にて問合せをする

★ご注意ください★

お電話でのお問合せは、お受けいたしません。

①、②のどちらの方法でも、お問合せの際には、「お名前」とともに、
「対象の書籍名(○級・第○回対策も含む)およびその版数(第○版・○○年度版など)」
「お問合せ該当箇所の頁数と行数」
「誤りと思われる記載」
「正しいとお考えになる記載とその根拠」
を明記してください。
なお、回答までに1週間前後を要する場合もございます。あらかじめご了承ください。

① ウェブページ「Cyber Book Store」内の「お問合せフォーム」より問合せをする

【お問合せフォームアドレス】

https://bookstore.tac-school.co.jp/inquiry/

② メールにより問合せをする

【メール宛先 TAC出版】

syuppan-h@tac-school.co.jp

※土日祝日はお問合せ対応をおこなっておりません。
※正誤のお問合せ対応は、該当書籍の改訂版刊行月末日までといたします。

乱丁・落丁による交換は、該当書籍の改訂版刊行月末日までといたします。なお、書籍の在庫状況等により、お受けできない場合もございます。
また、各種本試験の実施の延期、中止を理由とした本書の返品はお受けいたしません。返金もいたしかねますので、あらかじめご了承くださいますようお願い申し上げます。

TACにおける個人情報の取り扱いについて

■お預かりした個人情報は、TAC(株)で管理させていただき、お問合せへの対応、当社の記録保管にのみ利用いたします。お客様の同意なしに業務委託先以外の第三者に開示、提供することはございません(法令等により開示を求められた場合を除く)。その他、個人情報保護管理者、お預かりした個人情報の開示等及びTAC(株)への個人情報の提供の任意性については、当社ホームページ(https://www.tac-school.co.jp)をご覧いただくか、個人情報に関するお問い合わせ窓口(E-mail:privacy@tac-school.co.jp)までお問合せください。

(2022年7月現在)